2025年版

消毒と滅菌の
ガイドライン

編集
大久保 憲
尾家 重治
金光 敬二

改訂第5版

GUIDELINES
FOR DISINFECTION AND STERILIZATION

へるす出版

本書は，厚生労働省より2014年12月19日に通知された「医療機関における院内感染対策について」を受け，内容を見直すとともに，最新の知見を盛り込んだものとしました。

執筆

大久保　憲（医療法人幸寿会 平岩病院 病院長，東京医療保健大学 名誉教授）

尾家　重治（公立大学法人 山陽小野田市立 山口東京理科大学薬学部 特任教授）

金光　敬二（東北大学大学院総合感染症分野 客員教授）

竹下　望（厚生労働省健康・生活衛生局感染症対策部感染症対策課 パンデミック対策推進室）

目　次

1　感染症法と『消毒と滅菌のガイドライン』　　1

- Ⅰ　感染症法制定とその改正の背景と経緯 …………………………………… 2
  - 1　感染症の予防及び感染症の患者に対する医療に関する法律の制定について
  - 2　感染症法の改正について
- Ⅱ　感染症法のポイント ………………………………………………………… 3
  - 1　対策の基本的考え方
  - 2　事前対応型行政の構築
  - 3　感染症類型と医療体制の再構築
  - 4　患者等の人権に配慮した入院手続の整備
  - 5　まん延防止措置の再整理
  - 6　動物由来感染症対策の充実
  - 7　国際協力の推進
  - 8　感染症に関する情報収集体制の強化
- Ⅲ　感染症法における消毒について …………………………………………… 7

2　消毒・滅菌の基本　　9

　　消毒・滅菌と感染制御の基本的な考え方
- Ⅰ　消毒・滅菌の種類と方法 …………………………………………………… 11
  - 1　滅菌の種類と方法
  - 2　消毒の種類と方法
- Ⅱ　医療現場における消毒 ……………………………………………………… 12
  - 1　消毒における留意点
  - 2　消毒水準からみた消毒薬の選択
  - 3　手指衛生
- Ⅲ　消毒の基礎知識 ……………………………………………………………… 21
  - 1　消毒薬による消毒
  - 2　熱による消毒
  - 3　器材・物品の消毒・滅菌法

3　消毒薬　　41

- A　高水準消毒薬 …………………………………………………………………… 42
  - Ⅰ　酸化剤 …………………………………………………………………………… 42
    - 1　過酢酸
    - 2　オキシドール（過酸化水素）

Ⅱ　アルデヒド類 ……………………………………………………………… 44
　1　フタラール（オルトフタルアルデヒド）
　2　グルタラール（グルタルアルデヒド）

B　中水準消毒薬　47

Ⅰ　ハロゲン系薬剤 …………………………………………………………… 47
　1　塩素系消毒薬（次亜塩素酸ナトリウム，ジクロルイソシアヌール酸ナトリウムなど）
　2　ヨウ素系消毒薬（ポビドンヨードなど）
Ⅱ　アルコール類 ……………………………………………………………… 50

C　低水準消毒薬　52

Ⅰ　第四級アンモニウム塩 …………………………………………………… 52
Ⅱ　両性界面活性剤 …………………………………………………………… 53
Ⅲ　クロルヘキシジングルコン酸塩 ………………………………………… 53
Ⅳ　オラネキシジングルコン酸塩 …………………………………………… 54
Ⅴ　フェノール類 ……………………………………………………………… 55

4　対象疾患別消毒法　65

感染症法における対象疾患別の消毒のまとめ

Ⅰ　一類感染症 ………………………………………………………………… 68
　1　エボラ出血熱（エボラウイルス病）
　2　マールブルグ病
　3　クリミア・コンゴ出血熱
　4　ラッサ熱
　5　南米出血熱
　6　ペスト
　7　痘そう（天然痘）
Ⅱ　二類感染症 ………………………………………………………………… 82
　1　結　核
　2　鳥インフルエンザ（H5N1，H7N9）
　3　重症急性呼吸器症候群（severe acute respiratory syndrome；SARS）
　4　中東呼吸器症候群（Middle East respiratory syndrome；MERS）
　5　急性灰白髄炎（ポリオ）
　6　ジフテリア
Ⅲ　三類感染症 ………………………………………………………………… 94
　1　コレラ
　2　細菌性赤痢
　3　腸管出血性大腸菌感染症
　4　腸チフス，パラチフス

- Ⅳ 問題となる病原体の消毒・不活性化法 ··· 102
    - 1 B型肝炎ウイルス，C型肝炎ウイルス，ヒト免疫不全ウイルス（human immunodeficiency virus；HIV）
    - 2 ノロウイルス
    - 3 アデノウイルス（流行性角結膜炎の原因ウイルス）
    - 4 クロストリディオイデス・ディフィシル（*Clostridioides difficile*）
    - 5 メチシリン耐性黄色ブドウ球菌（methicillin-resistant *Staphylococcus aureus*；MRSA）
    - 6 バンコマイシン耐性腸球菌（vancomycin resistant enterococci；VRE）
    - 7 薬剤耐性緑膿菌（multi-drug resistant *Pseudomonas aeruginosa*；MDRP）
    - 8 薬剤耐性アシネトバクター（multi-drug resistant *Acinetobacter baumannii*；MDR-AB）
    - 9 クロイツフェルト・ヤコブ病プリオン
    - 10 クリプトスポリジウム
- Ⅴ 四類感染症 ··· 119
    - 1 ウイルス性疾患
    - 2 クラミジア性疾患
    - 3 リケッチア性疾患
    - 4 スピロヘータ性疾患
    - 5 原虫性疾患
    - 6 蠕虫性疾患
    - 7 真菌（糸状菌）性疾患
    - 8 芽胞形成菌性疾患
    - 9 その他の細菌性疾患
- Ⅵ 五類感染症 ··· 131
- Column 新型コロナウイルス感染症（COVID-19） ································ 133

5　滅菌法　　　　　　　　　　　　　　　149

- Ⅰ はじめに ··· 150
    - 1 主な滅菌法の種類
    - 2 理想的な滅菌法とは
- Ⅱ 高圧蒸気滅菌（steam sterilization/autoclaving） ····································· 151
    - 1 適応と滅菌工程
    - 2 包装法
    - 3 利点と欠点
    - 4 注意点
- Column ハイスピード滅菌器 ··· 154
- Ⅲ エチレンオキサイドガス滅菌 ··· 155
    - 1 適応と滅菌工程
    - 2 包装法
    - 3 利点と欠点
    - 4 注意点

- Ⅳ 過酸化水素低温ガスプラズマ滅菌 ………………………………………… 158
  - 1 適応と滅菌工程
  - 2 包装法
  - 3 利点と欠点
  - 4 注意点
- Ⅴ 過酸化水素ガス低温滅菌（過酸化水素蒸気滅菌）……………………… 159
- Ⅵ 低温蒸気ホルムアルデヒド滅菌（low temperature steam and formaldehyde sterilization）……………………………………………………………… 160
- Ⅶ バイオロジカルインジケータの指標菌 …………………………………… 161

Appendix　消毒薬一覧　　165

- Ⅰ 高水準消毒薬 ………………………………………………………………… 166
- Ⅱ 中水準消毒薬 ………………………………………………………………… 167
- Ⅲ 低水準消毒薬 ………………………………………………………………… 175
- Ⅳ その他 ………………………………………………………………………… 180

索　引 …………………………………………………………………………… 181

1

感染症法と『消毒と滅菌のガイドライン』

I 感染症法制定とその改正の背景と経緯

1 感染症の予防及び感染症の患者に対する医療に関する法律の制定について

　従前の感染症対策の中心的法規であった伝染病予防法は，明治30年に制定されたものであったが，感染症の状況は大きく変化した。昭和45年以降，世界で少なくとも30以上の新興感染症（エボラ出血熱，エイズ，C型肝炎等）が出現し，また，近い将来克服されると考えられていた感染症が再興感染症（結核，マラリア等）として人類に再び脅威を与えている。また，医学・医療の進歩，公衆衛生水準の向上，国民の健康に関する意識の高まり，人権の尊重や行政の公正透明化への要請，国際交流の活発化や航空機による迅速大量輸送時代の到来等，感染症を取り巻く状況も著しく変化した。

　このような状況のもと，これまでの伝染病予防法を中心として実施してきた感染症対策を全面的に改めるとともに，併せて個別対策法としての性病予防法とエイズ予防法を廃止統合し，統合的に感染症対策を推進するために，感染症の予防及び感染症の患者に対する医療に関する法律（以下感染症法，平成10年法律第114号）が制定された。

2 感染症法の改正について

　平成10年に感染症法が制定された後，新たに発生し世界的にも大きな問題となった重症急性呼吸器症候群（severe acute respiratory syndrome；SARS）や，ウエストナイル熱をはじめとする動物由来感染症対策の強化のため，平成15年に改正（平成15年法律第145号）が行われた。その後病原体等の管理体制を確立し，SARSの終息宣言を踏まえての二類感染症への変更や，結核予防法を廃止して結核を二類感染症に追加するため，平成18年に改正（平成18年法律第106号），新型インフルエンザ対策の整備のため，平成20年に改正（平成20年法律第30号），鳥インフルエンザ（H7N9）や中東呼吸器症候群（Middle East respiratory syndrome；MERS）などが新たに発生し対策を講じるために，平成26年に改正（平成26年法律第115号）が行われた。なお，平成26年の改正では，鳥インフルエンザ（H7N9）およびMERSを二類感染症に追加したほか，一類感染症等の患者等からの検体の採取について定めるなど，感染症に関する情報収集を強化するための規定が整備された。

　さらに，今回の新型コロナウイルス感染症の世界的な拡大を受けて，新型コロナウイルス感染症を指定感染症として指定後,新型インフルエンザ等対策特別措置法（平成24年法律第31号）が改正（令和2年法律第4号）され，新型インフルエンザ等とみなして適応されることとなった。その対策を進めていくなかで対策の実効性を高め，確実に推進することを目的に含む新型インフルエンザ等対策特別措置法の一部改正に含まれる形で感染症法の一部改正（令和3年法律第5号）が行われた。この改正では以下の規定が定められた。
①新型コロナウイルス感染症を新型インフルエンザ等感染症として位置づけること
②国や地方自治体間の情報連携として，保健所設置市・区から都道府県知事への発生届の報告・積極的疫学調査結果の関係自治体への通報の義務化と電磁的方法の活用を規定
③新型インフルエンザ等感染症・新感染症において宿泊療養・自宅療養の協力要請規定，入院勧告・措置において対象を限定することの明示と入院措置に応じない場合や逃げた場合の過料を規定
④積極的疫学調査の実効性確保のために協力しない場合の命令と正当な理由がなく応じない場合の過料，医療関係者・民間等の検査機関等に必要な協力を求められることと，その協力の求めに正当な

理由がなく応じなかったときへの勧告および正当な理由がなく勧告に従わない場合に公表できる。

また，新型コロナウイルス感染症の急拡大やそれに伴う病床の逼迫などあるなかで，迅速かつ効果的な対応を進めるために，新型コロナウイルス感染症への対応の評価を行い，令和4年6月に政府対策本部において「新型コロナウイルス感染症に関するこれまでの取組を踏まえた次の感染症危機に備えるための対応の方向性」が取りまとめられたことを受けて，感染症法，地域保健法，予防接種法，医療法，検疫法，新型インフルエンザ等対策特別措置法，健康保険法の一部改正（令和4年法律第96号）が行われた。この改正で以下のように定められた。

①都道府県が定める予防計画等に沿って，都道府県等と医療機関等での病床，発熱外来，自宅療養者等への医療の確保等に関する協定を締結する仕組みの法制化
②外来・在宅医療についての公費負担医療の創設
③医療人材の広域派遣の仕組み等の整備
④都道府県と保健所設置市・特別区その他の関係者で構成する連携協議会の創設と緊急時の入院勧告措置の都道府県知事の指示権限の創設
⑤医療機関の発生届等の電磁的方法による入力の努力義務化と国が保有することとなった情報について，個人の特定ができない形で特定化することなど適切かつ安全な利活用を進めるための仕組みの整備
⑥医薬品，医療機器，個人防護具等の確保のため，緊急時に国から事業省へ生産要請・指示，必要な支援等を行う枠組みの整備

II 感染症法のポイント

1 対策の基本的考え方

今日，多くの感染症の予防・治療が可能になってきており，従来の集団の感染症予防に重点を置いた考え方から，個々の国民の感染予防および良質かつ適切な医療の積み重ねによる社会全体の感染症の予防の推進に基本的考え方を転換していくこととしている。

2 事前対応型行政の構築

これまでのように感染症が発生してから防疫措置を講じるといった事後対応型行政から，普段から感染症の発生・拡大を防止するため，
①感染症発生動向調査体制の充実
②国が策定する基本指針や都道府県の策定する予防計画
③エイズや性感染症等を対象に国が施策の総合的な方向性を示す特定感染症予防指針
の3つの柱を軸とした事前対応型行政へと転換した。

3 感染症類型と医療体制の再構築

感染症法においては，対象となる感染症の感染力や罹患した場合の感染力や重篤性等に基づいて一類感染症から五類感染症に分類するとともに，新型インフルエンザ等感染症，指定感染症，新感染症の制度を設けている（表1[1]，2）。

1 ● 感染症法と『消毒と滅菌のガイドライン』

表1　感染症の類型とその性格について

一類感染症	感染力，罹患した場合の重篤性等に基づく総合的な観点からみた危険性がきわめて高い感染症
二類感染症	感染力，罹患した場合の重篤性等に基づく総合的な観点からみた危険性が高い感染症
三類感染症	感染力，罹患した場合の重篤性等に基づく総合的な観点からみた危険性が高くないが，特定の職業への就業によって感染症の集団発生を起こし得る感染症
四類感染症	人から人への感染はほとんどないが，動物，飲食物等の物件を介して感染するため，動物や物件の消毒，廃棄などの措置が必要となる感染症
五類感染症	国が発生動向調査を行い，その結果等に基づいて必要な情報を一般国民や医療関係者に提供・公開していくことによって，発生・拡大を防止すべき感染症
新型インフルエンザ等感染症	[新型インフルエンザ] 新たに人から人に伝染する能力を有することとなったウイルスを病原体とするインフルエンザであって，全国的かつ急速なまん延により国民の生命および健康に重大な影響を与えるおそれがあると認められるもの [再興型インフルエンザ] かつて世界規模で流行したインフルエンザであってその後流行することなく長期間が経過しているものが再興したものであって，全国的かつ急速なまん延により国民の生命および健康に重大な影響を与えるおそれがあると認められるもの [新型コロナウイルス感染症] 新たに人から人に伝染する能力を有することとなったコロナウイルスを病原体とする感染症であって，一般に国民が当該感染症に対する免疫を獲得していないことから，当該感染症の全国的かつ急速なまん延により国民の生命および健康に重大な影響を与えるおそれがあると認められるもの [再興型コロナウイルス感染症] かつて世界的規模で流行したコロナウイルスを病原体とする感染症であってその後流行することなく長期間が経過しているものとして厚生労働大臣が定めるものが再興したものであって，一般に現在の国民の大部分が当該感染症に対する免疫を獲得していないことから，当該感染症の全国的かつ急速なまん延により国民の生命および健康に重大な影響を与えるおそれがあると認められるもの （告示で指定）
指定感染症	既知の感染症のなかで上記一～三類に分類されない感染症において一～三類に準じた対応の必要が生じた感染症 （政令で指定，1年限定）
新感染症	人から人に伝染すると認められる疾病であって，既知の感染症と症状等が明らかに異なり，その伝染力および罹患した場合の重篤度から判断した危険性がきわめて高い感染症

（厚生労働省：第69回厚生科学審議会感染症部会．資料2．より作成）

表2　感染症法の対象疾病について（2024年5月1日現在）

一類感染症 （p.68）	エボラ出血熱，クリミア・コンゴ出血熱，痘そう，南米出血熱，ペスト，マールブルグ病，ラッサ熱
二類感染症 （p.82）	急性灰白髄炎，結核，ジフテリア，重症急性呼吸器症候群（病原体がベータコロナウイルス属 SARS コロナウイルスであるものに限る），中東呼吸器症候群（病原体がベータコロナウイルス属 MERS コロナウイルスであるものに限る），鳥インフルエンザ（H5N1），鳥インフルエンザ（H7N9）
三類感染症 （p.94）	コレラ，細菌性赤痢，腸管出血性大腸菌感染症，腸チフス，パラチフス
四類感染症 （p.119）	E 型肝炎，ウエストナイル熱（ウエストナイル脳炎を含む），A 型肝炎，エキノコックス症，エムポックス，黄熱，オウム病，オムスク出血熱，回帰熱，キャサヌル森林病，Q 熱，狂犬病，コクシジオイデス症，ジカウイルス感染症，重症熱性血小板減少症候群（病原体がフレボウイルス属 SFTS ウイルスであるものに限る），腎症候性出血熱，西部ウマ脳炎，ダニ媒介脳炎，炭疽，チクングニア熱，つつが虫病，デング熱，東部ウマ脳炎，鳥インフルエンザ（H5N1 および H7N9 を除く），ニパウイルス感染症，日本紅斑熱，日本脳炎，ハンタウイルス肺症候群，B ウイルス病，鼻疽，ブルセラ症，ベネズエラウマ脳炎，ヘンドラウイルス感染症，発しんチフス，ボツリヌス症，マラリア，野兎病，ライム病，リッサウイルス感染症，リフトバレー熱，類鼻疽，レジオネラ症，レプトスピラ症，ロッキー山紅斑熱
五類感染症 （p.131）	アメーバ赤痢，ウイルス性肝炎（E 型肝炎および A 型肝炎を除く），カルバペネム耐性腸内細菌目細菌感染症，急性弛緩性麻痺（急性灰白髄炎を除く），急性脳炎（ウエストナイル脳炎，西部ウマ脳炎，ダニ媒介脳炎，東部ウマ脳炎，日本脳炎，ベネズエラウマ脳炎及びリフトバレー熱を除く），クリプトスポリジウム症，クロイツフェルト・ヤコブ病，劇症型溶血性レンサ球菌感染症，後天性免疫不全症候群，ジアルジア症，侵襲性インフルエンザ菌感染症，侵襲性髄膜炎菌感染症，侵襲性肺炎球菌感染症，水痘（患者が入院を要すると認められるものに限る），先天性風しん症候群，梅毒，播種性クリプトコックス症，破傷風，バンコマイシン耐性黄色ブドウ球菌感染症，バンコマイシン耐性腸球菌感染症，百日咳，風しん，麻しん，薬剤耐性アシネトバクター感染症 （小児科定点医療機関が届出するもの）＜週単位で提出するもの＞ RS ウイルス感染症，咽頭結膜熱，A 群溶血性レンサ球菌咽頭炎，感染性胃腸炎，水痘，手足口病，伝染性紅斑，突発性発しん，ヘルパンギーナ，流行性耳下腺炎 （インフルエンザ /COVID-19 定点医療機関，及び基幹定点医療機関が届出するもの）＜週単位で提出するもの＞ インフルエンザ（鳥インフルエンザおよび新型インフルエンザ等感染症を除く）[1]，新型コロナウイルス感染症（（病原体がベータコロナウイルス属のコロナウイルス（令和二年一月に中華人民共和国から世界保健機関に対して，人に伝染する能力を有することが新たに報告されたものに限る）であるものに限る） （眼科定点医療機関が届出するもの）＜週単位で提出するもの＞ 急性出血性結膜炎，流行性角結膜炎 （性感染症定点医療機関が届出するもの）＜月単位で提出するもの＞ 性器クラミジア感染症，性器ヘルペスウイルス感染症，尖圭コンジローマ，淋菌感染症 （基幹定点医療機関が届出するもの） ＜週単位で提出するもの＞ 感染性胃腸炎（病原体がロタウイルスであるものに限る），クラミジア肺炎（オウム病を除く），細菌性髄膜炎（インフルエンザ菌，髄膜炎菌，肺炎球菌を原因として同定された場合を除く），マイコプラズマ肺炎，無菌性髄膜炎 ＜月単位で提出するもの＞ ペニシリン耐性肺炎球菌感染症，メチシリン耐性黄色ブドウ球菌感染症，薬剤耐性緑膿菌感染症

(前ページより続き)

疑似症	（疑似症定点医療機関が届出するもの） 法第14条第1項に規定する厚生労働省令で定める疑似症[*2]
新型インフルエンザ等感染症	新型インフルエンザ，再興型インフルエンザ，新型コロナウイルス感染症[*3]，再興型コロナウイルス感染症
指定感染症	（該当なし）
新感染症	（該当なし）

[*1] インフルエンザ（鳥インフルエンザ及び新型インフルエンザ等感染症を除く）の基幹定点の届出については，届出対象は入院したもの
[*2] 「法第14条第1項に規定する厚生労働省令で定める疑似症」は「発熱，呼吸器症状，発しん，消化器症状又は神経症状その他感染症を疑わせるような症状のうち，医師が一般に認められている医学的知見に基づき，集中治療その他これに準ずるものが必要であり，かつ，直ちに特定の感染症と診断することができないと判断したもの」で当該症状が二類感染症，三類感染症，四類感染症又は五類感染症の患者の症状であることが明らかな場合および感染症法の対象外の感染性疾患であることが明らかな場合を除いて届出の対象となる
[*3] 新型コロナウイルス感染症（COVID-19）の届出対象は，COVID-19定点においては，診断されたもの，基幹定点については，入院したもの

　また医療体制について，従前の伝染病予防法においては，市町村における伝染病院等の設置義務が規定されていたが，感染症法においては，各感染症に応じて良質かつ適切な医療を提供していく観点から，厚生労働大臣が指定する特定感染症指定医療機関，都道府県知事が指定する第一種感染症指定医療機関および第二種感染症指定医療機関を法定化している．さらに，今回の新型コロナウイルス感染症を受けて，都道府県が定める予防計画等に沿って，都道府県等と医療機関等の間で，病床，発熱外来，自宅療養者等への医療の確保等に関する協定を締結することが法定化された．

④ 患者等の人権に配慮した入院手続の整備

　感染症患者が感染症法に基づいて入院する場合においては，手続保障のための数多くの規定が設けられている．
　まず，説明と同意に基づいた入院を期待する入院勧告制度の導入があげられるが，この勧告に応じない患者に対してのみ入院措置が講じられることになる．
　また，都道府県知事（保健所長）が72時間に限って入院勧告等を行うとする応急入院制度を導入しており，その後72時間を超えた入院の必要性やさらに10日（結核の場合は30日）ごとに入院継続の必要性を判断する際には，感染症の診査に関する協議会（原則として保健所ごとに設置）の意見を聴いたうえで行わなければならないことを法定化している．
　さらに，30日を超える長期入院患者からの行政不服審査請求に対しては，厚生労働大臣が厚生科学審議会の意見を聴いたうえで5日以内に裁決を行わなければならないといった行政不服審査法の特例を設けている．
　一方，新型コロナウイルス感染症対策上での課題を受けて，令和3年の改正において，新型インフルエンザ等感染症・新感染症において宿泊療養・自宅療養の協力要請規定，入院勧告・措置において対象を限定することの明示と入院措置に応じない場合や逃げた場合の過料を規定，積極的疫学調査の実効性確保のために協力しない場合の命令と正当な理由がなく応じない場合の過料，医療関係者・民

間等の検査機関等に必要な協力を求められることと，その協力の求めに正当な理由がなく応じなかったときへの勧告および正当な理由がなく勧告に従わない場合に公表できる規定が定められた。

5 まん延防止措置の再整理

　従前の伝染病予防法においては，まん延防止のための措置として，消毒や物件の廃棄のほかに，集会・祭礼の禁止等の規定が数多く設けられていたが，感染症法においては，個々の規定の必要性について十分に吟味し，今日においてもなお，まん延防止のために必要とされた措置を規定する一方，不必要な規定は削除された。なお，それぞれの措置の発動に際しては，必要最小限とすることが規定されている。

6 動物由来感染症対策の充実

　サルがエボラ出血熱やマールブルグ病の病原体を媒介するとして，これまでも問題とされてきたが，伝染病予防法では，感染の危険があるサルに対して，輸入禁止や輸入検疫を実施する規定は法律上設けられていなかった。感染症法においては，サル等の動物に対する輸入禁止，輸入検疫，輸入可能地域の規定を設けた。また，動物の輸入に係る届出制度の創設，獣医師等の公衆衛生上の責務，感染症を媒介するおそれのある動物についての疫学調査の実施等についても規定されている。

　さらに，狂犬病予防法により，イヌ，ネコ等の狂犬病を媒介する危険性のある動物を輸入検疫の対象とすることとしている。

7 国際協力の推進

　感染症の問題は，もはや1つの国のみで解決できるものではなく，世界各国が協力しながら対策を進めていかなければならない。したがって，感染症法においては，国の責務として感染症の情報収集や研究の推進について，国際的な連携の規定を明記している。

　また，検疫法の改正により，一類感染症および新型インフルエンザ等感染症等を検疫感染症として規定するなど，世界の情勢を踏まえた検疫体制の強化を図っているところである。

8 感染症に関する情報収集体制の強化

　近年の病原体の遺伝子解析技術等の飛躍的な進歩に伴い，感染症のまん延防止対策等の立案のために，感染症の患者等や動物からの検体を確保し，病原体の遺伝子情報，薬剤耐性等の情報の収集・解析の重要性が高まっている。感染症法に規定するすべての感染症について，都道府県知事が患者等に対し検体の採取等に応じるよう要請できるとともに，医療機関等に対して保有する検体を提出することを要請できるようにした。

Ⅲ　感染症法における消毒について

　感染症法においては，都道府県知事が，感染症の病原体に汚染された場所等について，その感染症の患者やその場所を管理する者等に対し消毒を命じ，この命令で発生の予防やまん延の防止が困難で

ある場合には市町村に消毒するよう指示し，又は都道府県の職員に消毒させることができる（感染症法第27条）。

　この場合の消毒の方法については，厚生労働省令で定められることとされているが，この厚生労働省令については次のように規定されている（感染症法施行規則第14条）。

①対象となる場所の状況，感染症の病原体の性質その他の事情を勘案し，十分な消毒が行えるような方法により行うこと

②消毒を行う者の安全並びに対象となる場所の周囲の地域の住民の健康及び環境への影響に留意すること

　これらの措置の実際の実施にあたっては，令和4年3月11日付け健感発0311第8号厚生労働省健康局結核感染症課長通知「感染症法に基づく消毒・滅菌の手引きについて」[2]において「感染症法に基づく消毒・滅菌の手引き」が存在するが，より実務への適応にフォーカスしたものがあれば関係者の便宜になるため，本ガイドラインを作成することとした。

■文　献

1) 厚生労働省：第69回厚生科学審議会感染症部会．資料2．
   https://www.mhlw.go.jp/content/10906000/001041576.pdf
2) 厚生労働省：感染症法に基づく消毒・滅菌の手引きについて．
   https://www.mhlw.go.jp/content/000911978.pdf

2 消毒・滅菌の基本

■消毒・滅菌と感染制御の基本的な考え方

　感染制御とは，感染症の発生を事前に防止すること（prevention）と，発生した感染症がさらに広がらないように管理すること（control）を意味する。感染症法においては，感染症の発生・拡大を防ぐための事前対応が重視されている。

　感染症が成立するには以下の3要件がすべて必要である。
　①原因微生物が存在する
　②感染経路が存在する
　③宿主に感受性がある

　逆に考えれば，これらの要件の少なくとも1つを無効にすることができれば感染症の伝播を防ぐことができる。このガイドラインで言及する滅菌・消毒は，主に①の原因微生物を無効にする対策である。例えば，手術器具を滅菌することが該当する。消毒は，必ずしも無菌にはできないが，感染症を惹起し得ない水準まで微生物を殺滅または減少させる処理方法である。一般的な感染制御では②の感染経路を遮断することが重要とされる。ワクチン接種は③に対する対策である。

　感染制御を考えるとき，滅菌すべき医療器具は限られている。また，生体や環境全体を滅菌することはできない。消毒と滅菌をうまく使い分け，とくに対象とする微生物を考慮して消毒薬を適正に使用することが鍵となる。

I 消毒・滅菌の種類と方法

1 滅菌の種類と方法

　滅菌は無菌性を達成するためのプロセス，すなわちすべての微生物を殺滅または除去する行為を意味する。しかし，滅菌後にすべての微生物が存在しないことを科学的に証明することは困難である。実際には，無菌性保証水準（sterility assurance level；SAL）に到達できるかどうかによって評価する。ここでは，すでに医療機関で臨床応用されているもの，研究機関で用いられているもの，将来用いられる可能性があるものについて触れる。すでに臨床応用されているものについては「滅菌法」（p.149）で詳細に述べる。滅菌法の分類については，図1に示した。

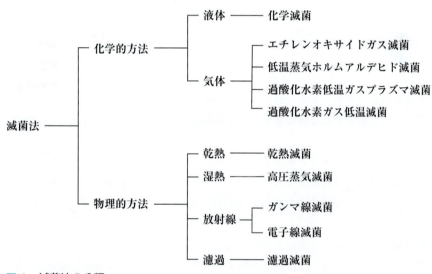

図1　滅菌法の分類

2 消毒の種類と方法

　消毒は，生存する微生物の数を減らすために用いられる処理法で，必ずしも微生物をすべて殺滅あるいは完全に除去するものではない。紫外線などを用いる物理的消毒法と消毒薬を使用する化学的消毒法がある。

1）物理的消毒法
　①煮沸消毒法
　②熱水消毒法
　③紫外線消毒法

2）化学的消毒法
　①液体（薬液消毒法）
　②気体（ホルムアルデヒド消毒など）

Ⅱ 医療現場における消毒

　病院などの医療施設内では，器材からの感染リスクと器材に合った消毒薬および消毒方法を選択する。また，病原微生物にはそれぞれ特異的な感染経路があり，感染経路別にみた有効な処置を施さなくてはならない。

1 消毒における留意点

　それぞれの微生物に特有の感染経路を断ち切ることが大切である。しかし，消毒薬の過剰な使用や間違った適用は，作業者の危険のみならず，周辺住民への悪影響および生態系の破壊など，エコロジーの面からも好ましくない。また，消毒や清掃作業において対象疾患に感染しないように注意しなければならない。

1）作業者の保護
　洗浄・消毒作業に伴う作業者の感染防止のためにプラスチックエプロン，ガウン，マスク，手袋，フェイスシールドまたはゴーグル，シューカバーなどの個人防護具を使用して作業に当たる。これらの個人防護具を常にすべて着用する必要はなく，汚染の状況，消毒範囲，消毒方法などに応じて必要なものを選択する。

　マスクについては，インフルエンザウイルス，風疹ウイルス，百日咳菌，マイコプラズマなどによる飛沫感染が起こる状況では医療用マスク（サージカルマスク）を着用する。結核菌，水痘ウイルス，麻疹ウイルスなどによる空気感染の可能性があれば，感染対策医療用マスク（N95微粒子用マスク）が必要となる。

　生体毒性を軽減させる目的で，規定された濃度以下に消毒薬を希釈してはならない。また，必要以上に高濃度で使用してはならない。次亜塩素酸ナトリウムは，広範囲に適応しないようにする。風や気流を考慮して，不必要な拡散を防止する。

2）嘔吐物処理の注意点
　適切な個人防護具を着けた後，嘔吐物などを布，不織布などで除去しビニール袋に入れて廃棄する。その部位に新しい布，不織布を置き，その上から消毒薬をかけるとよい。スプレー様式で散布するのではなく，直接水をかけるように物体およびその周辺に撒く。消毒薬をしみ込ませた不織布などで拭き取る方法も推奨される。この場合に使用される消毒薬は，0.2％両性界面活性剤もしくは0.2％第四級アンモニウム塩（ベンザルコニウム塩化物など）が安全である。ウイルスを対象として処理するときは，500～5,000 ppm次亜塩素酸ナトリウムなどが適用となる。

2 消毒水準からみた消毒薬の選択

　Spaulding[1]は，消毒薬による処理可能な微生物の分類から，消毒薬を大きく下記の3つに分類した（表3）。
　①高水準消毒薬
　②中水準消毒薬

③低水準消毒薬

この分類法は簡潔明瞭であり，消毒水準からみた消毒薬の選択を合理的かつ論理的に説明できる[2-6]（表4）[5) 7)]。

高水準消毒薬は，接触時間を長くすれば真菌および細菌芽胞など，あらゆる微生物を殺滅できるため化学滅菌剤（chemical sterilants）とも呼ばれている。短時間の接触では，大量の細菌芽胞の場合を除いて，すべての微生物を殺滅できる。

中水準消毒薬は，結核菌その他の細菌，真菌，ほとんどのウイルスを死滅または不活性化させることができる。このなかには殺芽胞性を有する消毒薬も存在する。

低水準消毒薬は，ほとんどの細菌や真菌と一部のウイルスには有効であるが，結核菌や細菌芽胞には無効であり，このグループの消毒薬には耐性のある微生物も数多く存在している（表5）[8)]。

表3　微生物別にみた消毒薬の殺菌効力

区分	消毒薬	一般細菌	細菌芽胞	結核菌	酵母様真菌	糸状真菌	ウイルス エンベロープがない	ウイルス エンベロープがある
高水準	過酢酸	○	○	○	○	○	○	○
	フタラール	○	○*	○	○	○	○	○
	グルタラール	○	○	○	○	○	○	○
中水準	次亜塩素酸ナトリウム	○	○	○	○	○	○	○
	ポビドンヨード	○	×	○	○	○	－	○
	アルコール	○	×	○	○	○	△	○
低水準	第四級アンモニウム塩	○	×	×	○	×	×	○
	両性界面活性剤	○	×	△	○	×	×	○
	クロルヘキシジングルコン酸塩	○	×	×	○	×	×	○
	オラネキシジングルコン酸塩	○	×	×	○	×	×	○

＊　バチルス属（*Bacillus* spp.）の芽胞を除いて有効
○：有効，△：限定的，×：無効

表4 CDCガイドラインによる滅菌および消毒の分類

sterilization（滅菌）	細菌芽胞を含むすべての微生物を殺滅
high-level disinfection（高水準消毒）	大量の細菌芽胞の場合を除いて，すべての微生物を殺滅*
intermediate disinfection（中水準消毒）	細菌芽胞以外のすべての微生物を殺滅するが，なかには殺芽胞性を示すものがある
low-level disinfection（低水準消毒）	結核菌などの抵抗性を有する菌および消毒薬に耐性を有する一部の菌以外の微生物を殺滅

＊ Centers for Disease Control and Prevention：Guideline for disinfection and sterilization in healthcare facilities, 2008. では，「一部の細菌芽胞を除いて微生物を完全に除去すること」とも定義されている

（Ganer JS, Favero MS：Guideline for handwashing and hospital environmental control, 1985. AJIC Am J Infect Control 1986；14：110-129. より改変し転載）

表5 使用目的別にみた消毒薬の選択

区分	消毒薬	環境	金属器具	非金属器具	手指皮膚	粘膜	排泄物による汚染
高水準	過酢酸	×	△	○	×	×	△
	フタラール	×	○	○	×	×	△
	グルタラール	×	○	○	×	×	△
中水準	次亜塩素酸ナトリウム	○	×	○	×	×	○*1
	ポビドンヨード	×	×	×	○	○	×
	アルコール	○	○	○	○	×	×
低水準	第四級アンモニウム塩	○	○	○	○	○	△
	両性界面活性剤	○	○	○	○	○	△
	クロルヘキシジングルコン酸塩	○	○	○	○	×	×
	オラネキシジングルコン酸塩	×	×	×	○*2	×	×

*1 CDC Update：Management of patients with suspected viral hemorrhagic fever-United States. MMWR 1995；44：475-479.
*2 手術部位皮膚消毒のみ
○：使用可能，△：注意して使用，×：使用不可

1）クリティカル器具（表6）[5]

　無菌の組織に埋め込むか血液と長期間接触する医療機器をクリティカル器具と呼び，滅菌を必要とする。消毒薬での対応は困難であるが，どうしても滅菌できないものに対しては消毒薬にて処理をする。予備洗浄を確実に行い，接触時間と温度，pHなどの条件を厳しく守った場合にのみ使用可能となる。

　対象物：どうしても滅菌ができない状況下での手術用機器
　消毒薬：過酢酸，グルタラール，次亜塩素酸ナトリウム

表6　機器・環境の処理法

リスク分類	対象	例	処理法
クリティカル	無菌の組織や血管系に挿入するもの	手術用器械・インプラント器材・針	滅菌 高水準消毒
セミクリティカル	粘膜または創のある皮膚と接触するもの	人工呼吸器回路・麻酔関連器材・内視鏡	高水準消毒
		体温計（口腔）	中または低水準消毒
ノンクリティカル	医療機器表面	モニター類	あらかじめドレープでカバー清拭清掃
	皮膚に接触する医療用具	血圧計のカフ・聴診器	低水準消毒 アルコール清拭
	ほとんど手が触れない	水平面（床）	定期清掃，汚染時清掃 退院時清掃
		垂直面（壁・カーテン）	汚染時清掃 汚染時洗浄
	頻回に手が触れる	ドアノブ・ベッド柵・床頭台のテーブル	1日1回以上の定期清掃または定期消毒

(Ganer JS, Favero MS : Guideline for handwashing and hospital environmental control, 1985. AJIC Am J Infect Control 1986 ; 14 : 110-129. より改変し転載)

2) セミクリティカル器具（表6）[5]

　粘膜および創のある皮膚と接触する医療機器をいう．本来は使用前に滅菌処理すべきものであるが，非耐熱性または処理に時間をかけられないような医療機器では，高水準の消毒薬による処理が行われている現状である．正常粘膜は細菌芽胞による感染には抵抗性を示すが，結核菌やウイルスには感受性を示す．消毒薬による処理後のすすぎには，水道水ではなく滅菌精製水を使用すべきである．すなわち水道水にはクリプトスポリジウム，非結核性抗酸菌，レジオネラなどが存在している可能性があるからである[5, 9-14]．内視鏡のように細管構造の製品では，保管前の十分な乾燥が細菌の増殖を抑えるうえで重要である[15-17]．

　粘膜に使用する体温計などは，中水準の消毒薬による処理が必要である．消毒薬としては，アルコール，塩素系消毒薬などが該当する．これらの消毒薬は結核菌，栄養型細菌，真菌とほとんどのウイルスを殺菌もしくは不活性化する．

　対象物：内視鏡，呼吸器系に接触する器具，隅角鏡など
　内視鏡の消毒：過酢酸，フタラール，グルタラール
　呼吸器系用具，麻酔用具，隅角鏡などの消毒：次亜塩素酸ナトリウム

3) ノンクリティカル器具（表6）[5]

　創のない正常な皮膚と接触するもので，粘膜とは接触しない器材をいう．これらのノンクリティカルな医療機器により病原微生物が伝播される可能性は低い[18]．これらの器材に対しては，水拭きまたは低水準消毒薬で消毒する．

　対象物：聴診器，便座，血圧測定用カフ，松葉杖，ベッド柵，リネン類，ベッドサイドテーブルなど

消毒薬：第四級アンモニウム塩（ベンザルコニウム塩化物など），クロルヘキシジングルコン酸塩，両性界面活性剤

3 手指衛生

　空気感染や飛沫感染よりも，手指を介した接触感染の機会のほうがはるかに多い．感染対策の基本は「手指衛生」といっても過言ではなく，手指には容易に病原体が付着し，次々に汚染を広げる．適切なタイミングでの手指衛生は，病原体の伝播を防止するためのもっとも重要な手技となる．

1）皮膚の細菌
　（1）毛包に生息する皮膚常在菌（resident skin flora）
　病原性の低い菌が主体で，主として表皮ブドウ球菌や *Cutibacterium acnes* などが，しだいに増殖して徐々に皮膚表面に現れる（写真1）．消毒薬の使用によりその数は減らせるが，完全に取り除くことはできない．
　（2）皮膚表面に付着している皮膚通過菌（transient skin flora）
　外部から皮膚に付着した菌で，大腸菌，セラチアなどのグラム陰性桿菌など，さまざまな病原体が含まれる．

写真1　手掌の細菌

2）病院での手指衛生
　手指衛生は，皮膚表面の皮膚通過菌の除去には有効であるが，皮膚常在菌を完全に除去することは不可能であり，皮膚を無菌化することはできない．
　手指衛生のコンプライアンス，すなわち必要なときにどの程度の手指衛生が行われているかを客観的に検討する研究が進んでおり，衛生的手洗いについては次のような実践的な見直しが行われている．
　従来では流水と石けんによる手洗いを行うことをまず考え，それが不可能な場合に速乾性擦式アルコール製剤を選択するとなっていたが，流水と石けんによる手洗いを有効とする文献の多くは30〜60秒間をかけた場合の評価に基づくものであり，現実的には医療従事者の日常的な手洗いは平均7〜10秒間程度となっている．したがって，このような短時間の手洗いの効果は科学的根拠に乏しいとされることとなった．一方，速乾性擦式アルコール製剤による手指消毒は確実に菌を減少させることができ，特別な設備も不要で，ベッドサイドや外来患者の診察中でも容易に使用できる．病棟では

手洗い設備が不足し，アクセスも不十分なことが多い。さらに，速乾性擦式アルコール製剤には手荒れ防止効果をもつエモリエント剤も含まれているものが多く，手荒れの問題も改善されてきている。したがって，診療中においては速乾性擦式アルコール製剤を使用することがもっとも好ましいと勧告されるようになってきた[19]。

目に見える手指汚染がある場合には流水と石けんを使用するが，それ以外では速乾性擦式アルコール製剤が優先されると考えられるようになってきた。

①流水と石けんによる手洗い

目に見える汚染がある場合に行われる手指衛生である。最初に水で手を濡らし，3～5 mLの製剤を用いて少なくとも15秒間洗う。その後，水ですすいで清潔なタオルで拭く。

②流水と抗菌性石けん（スクラブ剤）による手洗い

衛生的手洗いが求められるときは，速乾性擦式アルコール製剤または流水とクロルヘキシジンスクラブ剤などの抗菌性石けんによる手洗いを行う。速乾性擦式アルコール製剤が優先されるが，目に見える汚染のある場合は流水と抗菌性石けんによる手洗いが必要になる。アルコールに過敏な場合も，流水と抗菌性石けんによる手洗いを行ってよい。抗菌性石けん3～5 mLを用いて少なくとも15秒間洗う。その後，ペーパータオルを用いて手を拭き，そのペーパータオルで蛇口を閉める。

③速乾性擦式アルコール製剤による手指消毒

侵襲的な医療機器（血管カテーテル・導尿カテーテル）を挿入する前，患者の創傷を消毒する前などでは速乾性擦式アルコール製剤による手指消毒が優先される。目に見える汚染がある場合は，先に流水と非抗菌性石けんまたは抗菌性石けんで手を洗わなければならない。

速乾性擦式アルコール製剤のなかには，アルコールのほかにクロルヘキシジングルコン酸塩や第四級アンモニウム塩（ベンザルコニウム塩化物など）等が含まれている製剤もある。アルコールは蒸発しやすく持続効果は望めないが，クロルヘキシジングルコン酸塩や第四級アンモニウム塩（ベンザルコニウム塩化物など）等は皮膚に吸着されやすく持続効果がある[20, 21]。

また，常に手指消毒をしていると，手指に常在する細菌数が減少してくる。これは累積効果といわれ，皮膚の基準菌数（base line value）は約1/10になる。

アルコール過敏症などアルコールを使用できない者には，アルコールを含まない手指消毒薬もある。

3）清潔度からみた手指衛生の分類

①日常的手洗い（social handwashing）

食事の前，トイレの後，料理を作る前，帰宅時など日常的な行動に伴った手洗い法で，石けんと流水を使用して汚れや有機物および皮膚通過菌を除去する。日常的手洗いは，家庭，学校，職場，医療機関などどこでも行われる。

②衛生的手洗い（hygienic handwashing）

医療行為の前や，手指が細菌により汚染されたと思われるときに行う手指衛生で，速乾性擦式アルコール製剤または流水と抗菌性石けんにより行う。目に見える汚れや有機物汚染がないときは，速乾性擦式アルコール製剤を優先させる。速乾性擦式アルコール製剤には洗浄作用がないため，明らかな汚染がある場合にはあらかじめ除去しておく（図2）。

流水と抗菌性石けんを用いる場合は，少なくとも15秒間洗い（従前），ペーパータオルで拭き取る（写真2）。

③手術時手洗い（surgical handwashing）

手指に付着する皮膚通過菌を極力除去し，皮膚常在菌をも減少させることを目的として行われる。

手術中に手袋が破損しても皮膚常在菌による術野汚染のリスクを低減させるための手洗いである。

最近では，手荒れのリスクを減らす目的でブラシを使用しない方法も提案されているが，米国外科学会（American College of Surgeons）は，指先部分のみのブラッシングを併用した最低 120 秒間の手洗い法を推奨している[22]。

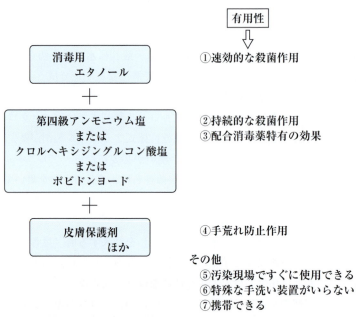

図2　速乾性擦式アルコール製剤とは

写真2　衛生的手洗いにおける除菌効果

4）手洗い法による分類

①清拭法（swab method）

消毒薬を十分しみ込ませた綿球やガーゼで拭き取る方法である。アルコールが使われ，使用ごとに新しいものに取り替える。また，消毒薬を十分に塗布して，皮膚に消毒薬が一定時間接触している状況をつくらなくてはならない。

②**スクラブ法（scrub method）**

　洗浄剤を配合した手洗い用消毒薬をよく泡立ててこすった後，水で洗い流す方法である．洗浄と消毒とが同時に行え，滅菌ブラシを使用することもある．スクラブ法で手を洗うためには，手洗い設備が必要である（図3）．

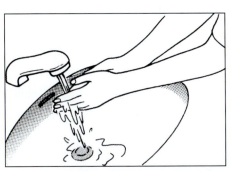
①石けん，消毒薬をつける前に手全体を濡らす

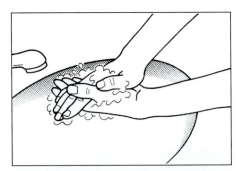
②石けん，消毒薬をつけて掌でよくこする

③右の掌で左の甲を包むように洗う
　反対も同様に

④とくに指の間をよくこする

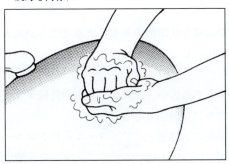
⑤指までよく洗う

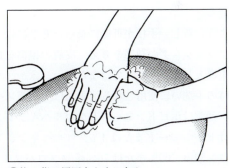
⑥第1指の周囲をよくこする

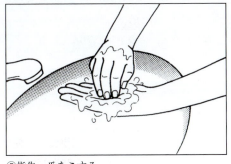
⑦指先，爪をこする

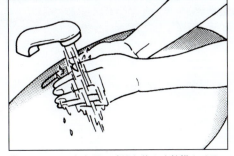
⑧ていねいにすすぎ，手拭き後よく乾燥させる

図3　効果的な手洗い法

使用する消毒薬は，クロルヘキシジングルコン酸塩もしくはポビドンヨードを主成分とした手洗い専用の消毒薬である。

③擦式法（rubbing method）

消毒用エタノールに消毒薬を配合した速乾性擦式アルコール製剤（液体であれば約 3 mL）を手掌にとり，水を使用せずに乾燥するまで擦り込んで消毒する方法である。配合消毒薬としてクロルヘキシジングルコン酸塩，第四級アンモニウム塩（ベンザルコニウム塩化物など），ポビドンヨードがある。

この製剤はエタノールによる速効的な殺菌効果と，配合消毒薬による持続効果が期待できる。さらに皮膚に対する使用感を高めるため，手荒れ防止効果のある各種の皮膚保護剤（エモリエント剤など）も配合してある。

持ち運びが容易であり，手指の汚れが顕著でなければ，手指衛生が求められる現場で使用でき，特別な手洗い装置も不要なので感染防止のために有用な方法である（図 2）。

5）手術時の手洗い（surgical handwashing）

手術前の手洗いは消毒薬とブラシを使用するため手荒れを起こしやすい（写真 3）。手荒れのある皮膚には多数の細菌が小膿瘍を形成しており，感染防止の面からも好ましくない。そのため各種の手洗い法が考案されている。

①ディスポーザブルブラシを使用した 6 分間 1 ブラシ法
②ディスポーザブルブラシを使用した 3 分間 1 ブラシ法
③指先のみにブラシを使用した 3 分間法
④ブラシを使用しない 3 分間揉み洗い法
⑤持続殺菌効果のある速乾性擦式アルコール製剤のみによる手指消毒法

短時間の手洗い法でも，従来からの 10 分間法と同程度にまで手の付着細菌数を減少させることができる[21,22]。また，短時間手洗い法では，最後に速乾性擦式アルコール製剤を使用することが推奨されている。

このように新しい手技が可能になった背景には，消毒薬と洗浄剤の進歩によるところが大きい。今後は，ブラッシングの功罪を考え，皮膚の損傷を最小限にして，しかも洗浄殺菌効果の高い有効な手洗い法を導入していかなくてはならない。

手術時の手洗いに使用される消毒薬は，抗菌スペクトルの広い，速効的で効果の持続するものがよい[23,24]。通常はポビドンヨードとクロルヘキシジングルコン酸塩である[25]。

7.5％ポビドンヨードまたは 4％クロルヘキシジングルコン酸塩と，アルコール配合クロルヘキシジングルコン酸塩（60％または 70％イソプロパノール中の 0.5％クロルヘキシジングルコン酸塩）と比較すると，アルコール配合のクロルヘキシジングルコン酸塩のほうが抗菌活性が持続していることがわかった[24,26]。

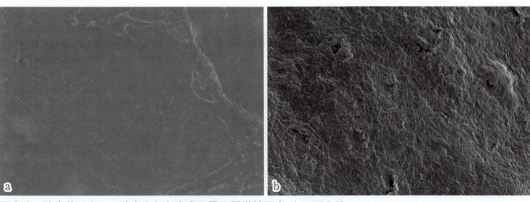

写真3　消毒薬によって障害された皮膚の電子顕微鏡写真（×5000）
a：ヒト3次元培養表皮モデルの電子顕微鏡写真
b：ヒト3次元培養表皮モデルに消毒薬を作用させた後に撮影した．皮膚表面が粗造になっており一部に亀裂が観察される
（柏﨑潤博士提供）

III　消毒の基礎知識

　消毒とは病原微生物を殺滅することである．生体や環境の消毒は，消毒薬で行う．また，器材や用具の消毒は，第一選択が熱（熱水，蒸気）で，第二選択が消毒薬である．

1　消毒薬による消毒[27-50]

1）微生物の消毒薬抵抗性の強さ

　図4に，微生物を消毒薬抵抗性が強い順に並べるとともに，消毒薬の抗菌スペクトル（範囲）を示した．

　消毒薬にもっとも抵抗性を示すのは，細菌芽胞（スポア）である．芽胞を殺滅すれば全微生物を殺滅することになり，消毒よりもむしろ滅菌になる．医療関連施設で消毒対象となる主な芽胞として，クロストリディオイデス・ディフィシル（*Clostridioides difficile*）の芽胞があげられ，この芽胞の環境消毒には0.1～0.5％（1,000～5,000ppm）次亜塩素酸ナトリウムなどで対応する．

　次に消毒薬抵抗性を示す微生物としてウイルスなどがあげられる．図5に示すように，ウイルスの消毒薬抵抗性はウイルス間で差があり，もっとも抵抗性が強いのはA型肝炎ウイルス・ヒトパピローマウイルス・ノロウイルス・ロタウイルスなどで，次いでアデノウイルスである．新型コロナウイルス・ヘルペスウイルス・インフルエンザウイルスなどは，細菌と同様に消毒薬抵抗性が弱いウイルスである．ノロウイルスに対しては0.1～0.5％（1,000～5,000ppm）次亜塩素酸ナトリウムなどで，また新型コロナウイルスに対しては0.05％以上の次亜塩素酸ナトリウムやアルコール（消毒用エタノール）などでの対応となる．

　一方，メチシリン耐性黄色ブドウ球菌（Methicillin-resistant *Staphylococcus aureus*；MRSA）などの一般細菌やカンジダなどの酵母様真菌は消毒薬抵抗性が弱く，ベンザルコニウム塩化物などの低水準消毒薬でも対応可能である．

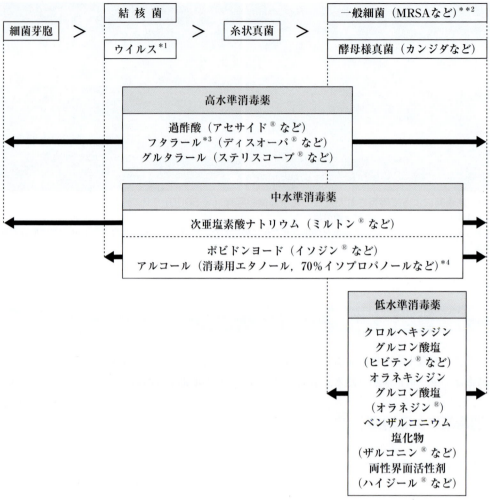

図4　微生物の消毒薬抵抗性の強さ，および消毒薬の抗菌スペクトル
*1 エンベロープを有するウイルスの消毒薬抵抗性は，一般細菌と同程度に弱い
*2 一部の一般細菌は，低水準消毒薬に抵抗性を示す
*3 バチルス属（*Bacillus* spp.）の芽胞に対するフタラールの効果は弱い
*4 A型肝炎ウイルス，ヒトパピローマウイルス，ノロウイルスおよびパルボウイルスに対するアルコールの効果は弱い

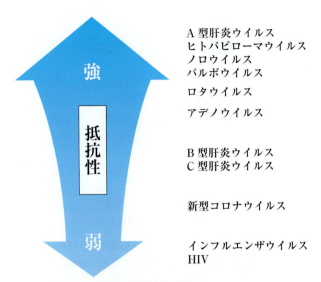

図5　ウイルスの消毒薬抵抗性の強さ

2）消毒薬の抗菌スペクトル

　図4に示したとおり，消毒薬は高水準，中水準および低水準に分けられる。これらのうち，過酢酸（アセサイド®など），フタラール（ディスオーパ®など）およびグルタラール（ステリスコープ®など）などの高水準消毒薬や，中水準消毒薬のうちの次亜塩素酸ナトリウム（ミルトン®など）は，すべての微生物に有効である。なお，次亜塩素酸ナトリウムは汚れ（有機物）の存在で効力低下が生じやすいので，中水準消毒薬に分類されている。

　次に広いスペクトルを示すのは，中水準消毒薬のうちのポビドンヨード（イソジン®など）やアルコール（消毒用エタノールなど）である。これらの消毒薬は細菌芽胞を除くすべての微生物に有効である。

　一方，クロルヘキシジングルコン酸塩（ヒビテン®など）やベンザルコニウム塩化物（オスバン®など）などの低水準消毒薬は一般細菌や酵母様真菌などに有効で，抗菌スペクトルの狭い消毒薬といえる。

3）消毒薬の使用上の留意点

　表7に，消毒薬の主な消毒対象と使用上の留意点を示した。消毒薬は抗菌薬と比べると抗菌スペクトルが広く，かつ短時間で効果を示す。裏を返せば，消毒薬のほうがはるかに毒性が強い。したがって，消毒薬の使用にあたっては，患者のみならず取り扱い者への有害作用にも注意を払いたい。

　高水準消毒薬（過酢酸，フタラール，グルタラール）は毒性が強いので，内視鏡消毒に限定使用するとともに，換気装置の設置または窓の開放（写真4）が必須である。また，取り扱い者は専用マスク（マスキー®51，防毒マスク）による吸入防止や，眼保護具・ガウン（エプロン）・手袋などによる付着防止（写真5）に留意する必要がある。

　また，中水準消毒薬のうち次亜塩素酸ナトリウムでは塩素ガスへの曝露，ポビドンヨードでは湿潤状態での皮膚への長時間接触，アルコールでは引火性にとくに注意を払いたい。

　一方，低水準消毒薬（クロルヘキシジングルコン酸塩，ベンザルコニウム塩化物など）の生体使用では，希釈時の濃度誤りを防ぐため，薬局や病棟での希釈は避けたい。希釈・滅菌済みの製品を用いる。

　なお，消毒薬の噴霧やくん蒸は，曝露毒性を避ける観点から差し控えたい。

表7 消毒薬の主な消毒対象と使用上の留意点

レベル	消毒薬	使用濃度	消毒対象	留意点
高水準	過酢酸	0.3%	内視鏡	・眼保護具，手袋，エプロンおよび専用マスクを着用する。 ・蒸気の曝露防止のため，換気装置を使用する。 ・用手法では，消毒後には十分なすすぎを行う。
	フタラール	0.55%		
	グルタラール	2〜3.5%		
中水準	次亜塩素酸ナトリウム	0.01%（100 ppm）	・「食」関連器材 ・「呼吸器」関連器材	・金属腐食性があるため，金属製器材には用いない。 ・塩素ガスの曝露防止のため換気する。
		0.1%（1,000 ppm）	環境（細菌芽胞，ウイルス，真菌，細菌）	
	ポビドンヨード	原液	・手術野 ・創部 ・粘膜	・新生児への大量使用を避ける。 ・化学熱傷を引き起こすため，湿潤状態での30分間以上の接触を避ける。
	アルコール ・消毒用エタノール ・70％イソプロパノール	原液	・正常皮膚 ・アンプル・バイアル ・環境（ウイルス，真菌，細菌）	・引火性があるため火気厳禁である。 ・粘膜や損傷皮膚には禁忌である。
	速乾性手指消毒薬	原液	手指	・手荒れや創には用いない。 ・引火性があるため火気厳禁である。
低水準	クロルヘキシジングルコン酸塩	0.05%	創部	・誤った濃度の使用でショックが起こるため，生体適用では希釈・滅菌済み製品を使用する。 ・含浸綿（ガーゼ）は細菌汚染を受けやすいため，個包装製品を使用する。
	オラネキシジングルコン酸塩	1.5%	手術野	・脳，脊髄，眼，耳に使用しない。
	ベンザルコニウム塩化物 ベンゼトニウム塩化物	0.02%	粘膜	・誤った濃度の使用で化学熱傷を引き起こすため，生体適用では希釈・滅菌済み製品を使用する。 ・含浸綿（ガーゼ）は細菌汚染を受けやすいため，個包装製品を使用する。
		0.1〜0.2%	環境（細菌）	
	両性界面活性剤	0.1〜0.2%	環境（細菌）	

（商品名については p.165「Appendix 消毒薬一覧」参照）

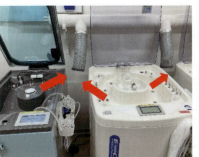

写真4　換気装置の設置や窓の開放
高水準消毒薬の使用時には防水カバー付近への換気装置の設置（左と中央：矢印は空気の流れを示す）や窓の開放（右）を実施する

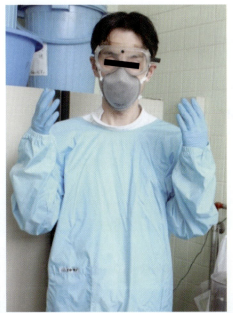

写真5　高水準消毒薬の使用時に着用する個人防護具
手袋，エプロン，眼保護具，および専用マスクなどの着用が必須である

2　熱による消毒[51-62]

　図6に，微生物を熱抵抗性が強い順に並べるとともに，熱（熱水，蒸気）の抗菌スペクトルを示した。70～93℃の熱は細菌芽胞を除くすべての微生物に有効である。また熱は，消毒薬に比べて効果が確実で，残留毒性がなく，ランニングコストも安い。したがって，鋼製小物，耐熱性プラスチック器材，リネンおよび食器などには熱消毒が適している。例えば，腸管出血性大腸菌（*Escherichia coli* O157など）やノロウイルスで汚染された下着の消毒には，消毒薬よりもむしろ80℃・10分間などの熱水洗濯のほうが有効である。

　なお，洗浄および70～80℃・3分間などの熱水消毒が自動的に行える家庭用食器洗浄機は，病棟での耐熱・耐水性の用具の消毒に有用である。表8に，熱水や蒸気による器材の消毒例を示した。

2 ● 消毒・滅菌の基本

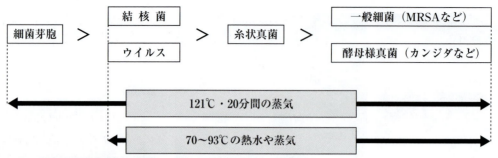

図6　微生物の熱抵抗性の強さ，および熱の抗菌スペクトル

表8　熱による消毒例

方法	消毒対象	利用する装置（条件）	
熱水	鋼製小物 耐熱性プラスチック器材	ウォッシャーディスインフェクタ[*1] （80〜93℃・3〜10分間）	
		家庭用の食器洗浄機 （70〜80℃・3分間など）	
	リネン	熱水洗濯機（70〜80℃・10分間）	スチーム式　電気式
	食器	食器洗浄機 （業務用：75〜80℃・10秒間など， 家庭用：70〜80℃・3分間など）	業務用　家庭用
蒸気	尿器 ポータブルトイレのバケツ 吸引瓶 陰部洗浄ボトル	ベッドパンウォッシャー[*2] （90℃・1分間）	

[*1]「洗浄→熱水消毒」の工程が自動的に行える装置
[*2]「洗浄→蒸気消毒」の工程が自動的に行える装置，正式名はフラッシャーディスインフェクタ

3 器材・物品の消毒・滅菌法

日常的な場面で使用される器材・物品をピックアップし，これらの消毒・滅菌法について示した（表9～15）。

表9 「呼吸器」関連器材・物品の消毒・滅菌法

器材・物品	消毒・滅菌法	備　考
人工呼吸器回路	・高圧蒸気滅菌 ・ウォッシャーディスインフェクタ（70℃・3分間などの熱水） ・0.01％（100 ppm）次亜塩素酸ナトリウムへの1時間浸漬 ・エチレンオキサイドガス滅菌	・高圧蒸気や熱水での処理が望ましい ・高圧蒸気や熱水の使用では，前もって材質劣化が生じないことを確認しておく ・次亜塩素酸ナトリウムの頻回適用で，プラスチックの劣化が生じることがある ・使い捨て製品の使用も望ましい
エアウエイ	・高圧蒸気滅菌 ・0.1％（1,000 ppm）次亜塩素酸ナトリウムへの30分間浸漬 ・消毒用エタノールへの10分間浸漬	・高圧蒸気滅菌が望ましい ・使い捨て製品の使用も望ましい
バイトブロック	・高圧蒸気滅菌 ・0.1％（1,000 ppm）次亜塩素酸ナトリウムへの30分間浸漬 ・消毒用エタノールへの10分間浸漬	・高圧蒸気滅菌が望ましい ・使い捨て製品の使用も望ましい ・内腔が金属製の製品には，次亜塩素酸ナトリウムは適さない
ネブライザーの嘴管	・0.01％（100 ppm）次亜塩素酸ナトリウムへの1時間浸漬 ・熱水浸漬（70℃・1分間以上など）	・目詰まりが生じたら，超音波洗浄で対応する

器材・物品	消毒・滅菌法	備考
超音波ネブライザー	・蛇管や薬液カップなどは0.01％（100 ppm）次亜塩素酸ナトリウムへの1時間浸漬	・個人使用では24時間ごとの消毒が望ましい ・共用するのであれば，そのつどの消毒とする。やむを得ずそのつどの消毒が行えない場合には，逆流防止弁を装着する ・使い捨ての蛇管の使用も望ましい
ジェットネブライザー	・熱水浸漬（70℃・1分間以上など）	・ウォッシャーディスインフェクタや家庭用食器洗浄機の利用が望ましい ・金属部分がないジェットネブライザーでは，0.01％（100 ppm）次亜塩素酸ナトリウム・1時間浸漬も適している ・24時間ごとの消毒が望ましい
酸素バブル加湿器（酸素湿潤器）	・熱水浸漬（65℃・5分間や70℃・1分間など）→食器乾燥機での乾燥	・ウォッシャーディスインフェクタや家庭用食器洗浄機の利用が望ましい ・7日間ごとなどの消毒を行う ・使い捨て製品の使用が勧められる
喉頭鏡のブレード	・ウォッシャーディスインフェクタ（80℃・10分間の熱水など） ・家庭用食器洗浄機（70〜80℃・3〜10分間の熱水） ・洗浄して，水分除去後に消毒用エタノール清拭	・使い捨て製品の使用も望ましい ・豆球の付いた機種には，ウォッシャーディスインフェクタや家庭用食器洗浄機は使用できない

表10 「食」関連器材・物品の消毒・滅菌法

器材・物品	消毒・滅菌法	備　考
薬杯 吸い飲み	・0.01％（100 ppm）次亜塩素酸ナトリウムへの1時間浸漬	
食器	・食器洗浄機（業務用；80℃・10秒間など，家庭用；70〜80℃・3〜10分間の熱水） ・0.02％（200 ppm）次亜塩素酸ナトリウムへの5分間以上の浸漬	
哺乳びん 乳首	・0.01％（100 ppm）次亜塩素酸ナトリウムへの1時間浸漬 ・ウォッシャーディスインフェクタ（80℃・10分間など） ・高圧蒸気滅菌	・汚れが付着しやすいので，前もっての洗浄が大切である
まな板	・0.02〜0.05％（200〜500 ppm）次亜塩素酸ナトリウム ・70〜80℃・3〜10分間の熱水	

表11 「体液・排泄物」関連器材・物品の消毒・滅菌法

器材・物品	消毒・滅菌法	備考
気管内吸引チューブ	①使用後に，吸引チューブの外表面をアルコールガーゼなどで清拭 ②吸引チューブ内腔の粘液などの除去のため，滅菌精製水（注射用蒸留水）を吸引 ③8%エタノール添加0.1%ベンザルコニウム塩化物を吸引後に，本液へ浸漬 ④使用前に消毒薬の除去のために滅菌精製水（注射用蒸留水）を吸引	・使い捨て製品の使用が勧められる
吸引びん	・ベッドパンウォッシャー（90℃・1分間の蒸気） ・0.1%（1,000 ppm）次亜塩素酸ナトリウムへの30分間浸漬 ・0.1%両性界面活性剤や0.1%ベンザルコニウム塩化物への30分間浸漬	・使い捨て製品（ディスポーザブル吸引装置）の使用が勧められる
ガーグルベースン	・ウォッシャーディスインフェクタや家庭用食器洗浄機（70～80℃・3～10分間の熱水） ・0.01%（100 ppm）次亜塩素酸ナトリウムへの1時間浸漬 ・0.1%両性界面活性剤や0.1%ベンザルコニウム塩化物への30分間浸漬	・前もってナイロン袋で覆っておく方法もある ・使い捨て製品の使用も勧められる
尿器	・ベッドパンウォッシャー（90℃・1分間の蒸気） ・0.1%（1,000 ppm）次亜塩素酸ナトリウムへの30分間浸漬 ・0.1%両性界面活性剤への30分間浸漬	・蒸気による消毒では，前もって耐熱性について確認しておく必要がある ・0.1%（1,000 ppm）次亜塩素酸ナトリウム液は，目に見える汚れ（有機物）の混入がなければ，7日間ほどの繰り返し使用が可能である

器材・物品	消毒・滅菌法	備考
便器（差し込み式）	・ベッドパンウォッシャー（90℃・1分間の蒸気） ・0.1％（1,000 ppm）次亜塩素酸ナトリウムへの30分間浸漬 ・0.1％両性界面活性剤への30分間浸漬	・前もって便器をビニール袋や使い捨ての排便処理袋で覆っておく方法もある ・0.1％（1,000 ppm）次亜塩素酸ナトリウム液は，目に見える汚れ（有機物）の混入がなければ，7日間ほどの繰り返し使用が可能である
ポータブルトイレのバケツ	・ベッドパンウォッシャー（90℃・1分間の蒸気） ・0.1％（1,000 ppm）次亜塩素酸ナトリウムへの30分間浸漬 ・0.1％両性界面活性剤への30分間浸漬	・0.1％（1,000 ppm）次亜塩素酸ナトリウム液は，目に見える汚れ（有機物）の混入がなければ，7日間ほどの繰り返し使用が可能である ・前もってバケツに使い捨てトイレを装着しておく方法もある
洋式トイレの便座 フラッシュバルブ	・消毒用エタノール清拭	・クロストリディオイデス・ディフィシルによる汚染の可能性があれば，0.1〜0.5％（1,000〜5,000 ppm）次亜塩素酸ナトリウム清拭を行う。ただし，金属箇所にはその後のアルコール拭きが必要 ・センサー箇所（黒い部分）はアルコール禁止

2 消毒・滅菌の基本

表12　「ベッド」関連器材・物品の消毒・滅菌法

器材・物品	消毒・滅菌法	備　考
リネン	・熱水洗濯機（70〜80℃・10分間の熱水） ・0.02％（200 ppm）次亜塩素酸ナトリウムへの5分間浸漬（すすぎ工程で） ・0.1％（1,000 ppm）次亜塩素酸ナトリウムへの30分間浸漬（ウイルス汚染血液が付着したリネン）	・熱水洗濯が望ましい
マットレス	・防水マットレスでは0.1％（1,000 ppm）次亜塩素酸ナトリウムや消毒用エタノールによる清拭を行う	・防水マットレスの使用や，前もって使い捨ての防水シーツで覆っておく方法が勧められる ・汚れがしみ込んだ場合には，丸洗いが望ましい ・エチレンオキサイドガスの使用は望ましくない（残留毒性，環境汚染） ・ホルマリン（ホルムアルデヒド）ガスの使用は望ましくない（取り扱い者に対する毒性，効果不確実） ・オゾンガスの使用は望ましくない（取り扱い者に対する毒性，材質劣化作用）
ベッド柵 オーバーテーブル	・消毒用エタノール清拭 ・0.2％ベンザルコニウム塩化物や0.2％両性界面活性剤での清拭	・クロストリディオイデス・ディフィシルによる汚染の可能性があれば，0.1〜0.5％（1,000〜5,000 ppm）次亜塩素酸ナトリウム清拭を行う
保育器（クベース）	・0.2％両性界面活性剤や0.2％ベンザルコニウム塩化物での清拭や，0.1％両性界面活性剤や0.1％ベンザルコニウム塩化物への30分間浸漬 ・ウイルス汚染の場合には0.01％（100 ppm）次亜塩素酸ナトリウム清拭（金属箇所には消毒用エタノール清拭）	・できるかぎり分解して，洗浄と消毒を行う ・患児が使用中のときは，消毒薬は使用禁止！

表13 「処置」関連器材・物品の消毒・滅菌法

器材・物品	消毒・滅菌法	備 考
聴診器	・消毒用エタノール清拭	
体温計	・消毒用エタノール清拭	・体温計のケースの消毒は，0.01％（100 ppm）次亜塩素酸ナトリウムへの1時間浸漬で行う
注射剤のアンプル・バイアル	・消毒用エタノール清拭	
包交車	・消毒用エタノール清拭	
血圧計のマンシェット	・消毒用エタノール清拭 ・熱水洗濯機（70℃・10分間などの熱水） ・0.1％両性界面活性剤への30分間浸漬→洗濯	・汚れの付着があれば洗濯が適している ・使い捨てのマンシェットの使用も望ましい

器材・物品	消毒・滅菌法	備考
氷枕	・消毒用エタノール清拭	・前もってナイロン袋で覆っておく方法もある
処置台	・消毒用エタノール清拭	・熱傷患者などの処置時には，使い捨てカバーの使用と消毒用エタノールの清拭との併用が勧められる
局所洗浄装置（イルリガートル）	・消毒用エタノールフラッシュとその後の乾燥	・7〜14日ごとの消毒と乾燥 ・代用として，生理食塩水（100 mL用量）などに局所洗浄用ノズル（使い捨て製品）を刺入して用いる方法が勧められる

表14 「浴室」関連器材・物品の消毒・滅菌法

器材・物品	消毒・滅菌法	備考
浴室ストレッチャー	・0.2%両性界面活性剤での清拭	・使い捨てカバーの使用が勧められる
シャワー用イス シャワー用車イス	・0.2%両性界面活性剤での清拭	・スポンジ様材質（ポリウレタンフォーム）でできた製品の使用は避ける（微生物汚染を受けやすいため）
浴槽 沐浴槽	・0.2%両性界面活性剤での清拭	・洗浄を兼ねた消毒を行う
洗面器 ベースン	・0.2%両性界面活性剤での清拭 ・高圧蒸気滅菌	・洗浄を兼ねた消毒を行う ・損傷皮膚用には高圧蒸気滅菌が望ましい（ステンレス製を用いる）。または使い捨て製品の使用も望ましい

表15 その他の器材・物品の消毒・滅菌法

器材・物品	消毒・滅菌法	備考
ストレッチャー	・消毒用エタノール清拭 ・0.2%ベンザルコニウム塩化物や0.2%両性界面活性剤での清拭	・使い捨てカバーの使用が勧められる
車イス	・消毒用エタノール清拭	・クロストリディオイデス・ディフィシルによる汚染の可能性があれば，0.1～0.5%（1,000～5,000 ppm）次亜塩素酸ナトリウム清拭を行う
ドアノブ 水道の蛇口	・消毒用エタノール清拭	
恒温槽	・乾燥	・7日ごとに水を抜いて，洗浄と乾燥を行う ・構造的に微生物汚染を受けやすいので，なるべく使用を控える
作業台	・消毒用エタノール清拭	

■文　献

1) Spaulding EH : Chemical disinfection of medical and surgical materials. In : Lawrence CA, Block SS, eds. Disinfection, sterilization and preservation. Philadelphia : Lea & Febiger, 1968 : 517-531.
2) Rutala WA : Disinfection, sterilization and waste disposal. In : Wenzel RP, ed. Prevention and control of nosocomial infections. Baltimore : Williams & Wilkins, 1987 : 257-282.
3) Favero MS, Bond WW : Chemical disinfection of medical and surgical materials. In : Block SS, ed. Disinfection, sterilization and preservation. 4th ed. Philadelphia : Lea & Febiger, 1991 : 617-641.

4) Rutala WA : APIC guideline for selection and use of disinfectants. 1994, 1995, and 1996 APIC Guidelines Committee. Association for Professionals in Infection Control and Epidemiology, Inc. Am J Infect Control 1996 ; 24 : 313-342.
5) Ganer JS, Favero MS : Guideline for handwashing and hospital environmental control, 1985. AJIC Am J Infect Control 1986 ; 14 : 110-129.
6) Rutala WA : Disinfection, sterilization and waste disposal. In : Wenzel RP, ed. Prevention and control of nosocomial infections. 2nd ed. Baltimore : Williams & Wilkins, 1993 : 460-495.
7) Centers for Disease Control and Prevention : Guideline for disinfection and sterilization in healthcare facilities, 2008.
8) CDC Update : Management of patients with suspected viral hemorrhagic fever-United States. MMWR 1995 ; 44 : 475-479.
9) Rutala WA : APIC guideline for selection and use of disinfectants. Am J Infect Control 1990 ; 18 : 99-117.
10) Rutala WA, Clontz EP, Weber DJ, et al : Disinfection practices for endoscopes and other semicritical items. Infect Control Hosp Epidemiol 1991 ; 12 : 282-288.
11) Martin MA, Reichelderfer M : APIC guidelines for infection prevention and control in flexible endoscopy. Association for Professionals in Infection Control and Epidemiology, Inc. 1991, 1992, and 1993 APIC Guidelines Committee. Am J Infect Control. 1994 ; 22 : 19-38.
12) Society of Gastroenterology Nurses and Associates : Recommended guidelines for infection control in gastrointestinal endoscopy settings. Rochester, New York : SGMA, 1990.
13) Lowry PW, Jarvis WR, Oberle AD, et al : *Mycobacterium chelonae* causing otitis media in an ear-nose-and-throat practice. N Engl J Med 1988 ; 319 : 978-982.
14) Meenhorst PL, Reingold AL, Groothuis DG, et al : Water-related nosocomial pneumonia caused by Legionella pneumophila serogroups 1 and 10. J Infect Dis 1985 ; 152 : 356-364.
15) Gerding DN, Peterson LR, Vennes JA : Cleaning and disinfection of fiberoptic endoscopes : evaluation of glutaraldehyde exposure time and forced-air drying. Gastroenterology 1982 ; 83 : 613-618.
16) Alfa MJ, Sitter DL : In-hospital evaluation of contamination of duodenoscopes : a quantitative assessment of the effect of drying. J Hosp Infect 1991 ; 19 : 89-98.
17) Muscarella LF : Sterilizing dental equipment. Nat Med 1995 ; 1 : 1223-1224.
18) Weber DJ, Rutala WA : Environmental issues and nosocomial infections. In : Wenzel RP, ed. Prevention and control of nosocomial infections. 2nd ed. Baltimore : Williams & Wilkins, 1993 : 420-449.
19) Siegel JD, Rhinehart E, Jackson M, et al : 2007 Guideline for isolation precautions : preventing transmission of infectious agents in health care settings. Am J Infect Control 2007 ; 35 : S65-S164.
20) Larson EL, Butz AM, Gullette DL, et al : Alcohol for surgical scrubbing. Infect Control Hosp Epidemiol 1990 ; 11 : 139-143.
21) Larson EL : Handwashing and skin : Physiologic and bacteriologic aspects. Infect Control 1985 ; 6 : 14-23.
22) Larson EL : APIC guideline for handwashing and hand antisepsis in health care settings. Am J Infect Control 1995 ; 23 : 251-269.
23) O'Shaughnessy M, O'Malley VP, Corbett G, et al : Optimum duration of surgical scrub-time. Br J Surg 1991 ; 78 : 685-686.
24) Hingst V, Juditzki I, Heeg P, et al : Evaluation of the efficacy of surgical hand disinfection following a reduced application time of 3 instead of 5 min. J Hosp Infect 1992 ; 20 : 79-86.
25) Garner JS : Guideline for prevention of surgical wound infections, 1985. Infect Control 1986 ; 7 : 193-200.
26) Faoagali J, Fong J, George N, et al : Comparison of immediate residual, and cumulative antibacterial effects of Novaderm®, Novascrub®, Betadine Surgical Scrub, Hibiclens, and liquid soap. Am J Infect Control 1995 ; 23 : 337-343.
27) Wiktorczyk-Kapischke N, Grudlewska-Buda K, Wałecka-Zacharska E, et al : SARS-CoV-2 in the envi-

28) Song JY, Cheong HJ, Choi MJ, et al：Viral shedding and environmental cleaning in middle east respiratory syndrome coronavirus infection. Infect Chemother 2015；47：252-255.
29) Fung CP, Hsieh TL, Tan KH, et al：Rapid creation of a temporary isolation ward for patients with severe acute respiratory syndrome in Taiwan. Infect Control Hosp Epidemiol 2004；25：1026-1032.
30) Rice EW, Adcock NJ, Sivaganesan M, et al：Chlorine inactivation of highly pathogenic avian influenza virus（H5N1）. Emerg Infect Dis 2007；13：1568-1570.
31) Tan YM, Chow PK, Tan BH, et al：Management of inpatients exposed to an outbreak of severe acute respiratory syndrome（SARS）. J Hosp Infect 2004 58：210-215.
32) Kariwa H, Fujii N, Takashima I, et al：Inactivation of SARS coronavirus by means of povidone-iodine, physical conditions and chemical reagents. Dermatology 2006；212（Suppl 1）：119-123.
33) Wu S, Wang Y, Jin X, et al：Environmental contamination by SARS-CoV-2 in a designated hospital for coronavirus disease 2019. Am J Infect Control 2020；48：910-914.
34) Rabenau HF, Kampf G, Cinatl J, et al：Efficacy of various disinfectants against SARS coronavirus. J Hosp Infect 2005；61：107-111.
35) Wiktorczyk-Kapischke N, Grudlewska-Buda K, Wałecka-Zacharska E, et al：SARS-CoV-2 in the environment-Non-droplet spreading routes. Sci Total Environ 2021；770：145260.
36) Tyler R, Ayliffe GA, Bradley C：Virucidal activity of disinfectants：studies with the poliovirus. J Hosp Infect 1990；15：339-345.
37) CDC：Disaster Safety：Infection control recommendations for prevention of transmission of diarrheal diseases in evacuation centers. September 10, 2005.
https://health.maryland.gov/phpa/IDEHASharedDocuments/guidelines/diarrhea_at_shelters.pdf
38) Jimenez L, Chiang M：Virucidal activity of a quaternary ammonium compound disinfectant against feline calicivirus：a surrogate for norovirus. Am J Infect Control 2006；34：269-273.
39) Tung G, Macinga D, Arbogast J, et al：Efficacy of commonly used disinfectants for inactivation of human noroviruses and their surrogates. J Food Prot 2013；76：1210-1217.
40) Sattar SA：Microbicides and the environmental control of nosocomial viral infections. J Hosp Infect 2004；56（Suppl 2）：S64-S69.
41) Vonberg RP, Kuijper EJ, Wilcox MH, et al：Infection control measures to limit the spread of *Clostridium difficile*. Clin Microbiol Infect 2008；14（Suppl 5）：2-20.
42) Kampf G, Todt D, Pfaender S, et al：Persistence of coronaviruses on inanimate surfaces and their inactivation with biocidal agents. J Hosp Infect 2020；104：246-251.
43) 尾家重治：環境による健康リスク；Ⅲ環境汚染に伴う健康リスク；D医療機関の化学物質管理と廃棄物処理「消毒剤」．日医師会誌 2017；146：S229-S231.
44) 中野園子, 内山昭則, 上山博史, 他：ポビドンヨードによる化学熱傷．麻酔 40：812-815, 1991.
45) Tooher R, Maddern GJ, Simpson J：Surgical fires and alcohol-based skin preparations. ANZ J Surg 2004；74：382-385.
46) Okano M, Nomura M, Hata S, et al：Anaphylactic symptoms due to chlorhexidine gluconate. Arch Dermatol 1989；125：50-52.
47) Pardoe R, Minami RT, Sato RM, et al：Phenol burns. Burns 1977；3：29-41.
48) Oie S, Kamiya A：Microbial contamination of antiseptics and disinfectants. Am J Infect Control 1996；24：389-395.
49) Ozbun MA, Bondu V, Patterson NA, et al：Infectious titres of human papillomaviruses（HPVs）in patient lesions, methodological considerations in evaluating HPV infectivity and implications for the efficacy of high-level disinfectants. EBioMedicine 2021；63：103165.
50) Egawa N, Shiraz A, Crawford R, et al：Dynamics of papillomavirus *in vivo* disease formation & susceptibility to high-level disinfection-Implications for transmission in clinical settings. EBioMedicine 2021；63：103177.
51) 尾家重治, 神谷晃：メチシリン耐性黄色ブドウ球菌（MRSA）に対する温水の効果．環境感染 1993；8：

11-14.
52) Oie S, Kamiya A, Tomita M, et al : Efficacy of disinfectants and heat against *Escherichia coli* O157:H7. Microbios 1999 ; 98 : 7-14.
53) Ayliffe GAJ, Babb JR, Taylor LJ : Hospital-acquired infection : principles and prevention. 3rd ed. London : Hodder Arnold Publication, 1999.
54) Ayliffe GAJ, Fraise AP, Geddes AM, et al : Control of hospital infection : a practical handbook. 4th ed. London : Arnold, 2000.
55) Ebner W, Eitel A, Scherrer M, et al : Can household dishwashers be used to disinfect medical equipment? J Hosp Infect 2000 ; 45 : 155-159.
56) Cannon JL, Papafragkou E, Park GW, et al : Surrogates for the study of norovirus stability and inactivation in the environment : a comparison of murine norovirus and feline calicivirus. J Food Prot 2006 ; 69 : 2761-2765.
57) Oie S, Ohkusa T, Kamiya A, et al : Thermal inactivation of spores of *Bacillus atrophaeus*, *Bacillus anthracis*, *Bacillus cereus*, and *Clostridium difficile*. J Hosp Administ 2017 ; 6 : 9-11.
58) Leclercq I, Batéjat C, Burguière AM, et al : Heat inactivation of the Middle East respiratory syndrome coronavirus. Influenza Other Respir Viruses 2014 ; 8 : 585-586.
59) Saknimit M, Inatsuki I, Sugiyama Y, et al : Virucidal efficacy of physico-chemical treatments against coronaviruses and parvoviruses of laboratory animals. Jikken Dobutsu 1988 ; 37 : 341-345.
60) Hatt S, Schindler B, Bach D, et al : Washer disinfector and alkaline detergent efficacy against *C. difficile* on plastic bedpans. Am J Infect Control 2020 ; 48 : 761-764.
61) MacDonald K, Bishop J, Dobbyn B, et al : Reproducible elimination of *Clostridium difficile* spores using a clinical area washer disinfector in 3 different health care sites. Am J Infect Control 2016 ; 44 : e107-e111.
62) Mirza Alizadeh A, Jazaeri S, Shemshadi B, et al : A review on inactivation methods of *Toxoplasma gondii* in foods. Pathog Glob Health 2018 ; 112 : 306-319.

3

消毒薬

A 高水準消毒薬

I 酸化剤

1 過酢酸

1) 作用機序と特徴[1-15]

強力な酸化作用により抗菌力を発現し，細菌芽胞を10分間という短時間で殺滅できる。6%過酢酸（エタンペルオキソ酸）が発売されている。

長所と欠点は次のようである。

＜長　所＞

細菌芽胞を含むすべての微生物に有効である（図7）。

＜欠　点＞

①金属腐食性がある。
②粘膜刺激性を示す。

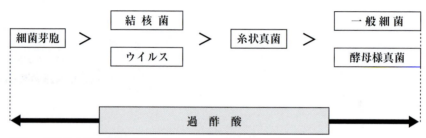

図7　微生物の消毒薬抵抗性の強さ，および過酢酸の抗微生物スペクトル

2) 適用の実際

内視鏡の消毒に用いる。

3) 有害作用

（1）蒸気が眼や呼吸器系の粘膜を刺激する

＜対　策＞

換気を行うとともに，専用マスクや保護メガネを着用する。

（2）液の付着で化学損傷が生じる

＜対　策＞

①手袋やプラスチックエプロンを着用する。
②保護メガネやフェイスシールドなどを着用する。

4) 不活性化

有機物による効力低下は小さい。

5）誤った用い方とその理由
①環境の消毒→蒸気による粘膜刺激
②金属製器材への長時間浸漬→金属腐食

2 オキシドール（過酸化水素）

1）作用機序と特徴[16-24]
水酸化ラジカル（OH・）の強力な酸化作用により抗菌力を発現する。

血液や体組織と接触すると，これらに含まれるカタラーゼの作用により分解して大量の酸素を発生する（図8）。この酸素の泡が異物除去効果（洗浄効果）を示す。

一方，分解しなければ（器具などのカタラーゼを含まないものに用いれば），一般細菌やウイルスを5〜20分間で，細菌芽胞を3時間で殺滅できる。すなわち，広範囲の抗微生物スペクトルを示す消毒薬でもある。

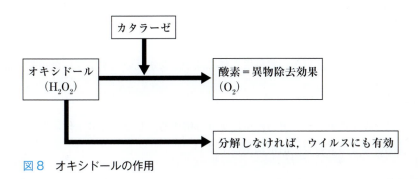

図8 オキシドールの作用

2）適用の実際
アデノウイルス，単純ヘルペスウイルスおよびエイズウイルスなどの殺滅の目的で，眼科用器材などの消毒に用いられることがある。また，創傷・潰瘍の消毒（原液または2〜3倍希釈液），口内炎の洗口（10倍希釈液），口腔粘膜の消毒，齲窩および根管の清掃・消毒，歯の清浄（いずれも原液または2〜3倍希釈液）などに用いられる。

表16に，オキシドールの使用例を示す。

表 16　オキシドールの使用例

対　象	濃度，浸漬時間	留意点
眼圧計のチップ 隅角鏡（スリーミラー）	原液，10 分間	消毒後に十分な水洗いが必要である
試着したハードコンタクトレンズ	原液，10 分間	消毒後に十分な水洗い，または 0.5％チオ硫酸ナトリウムによる中和が必要である
（歯科用） バー リーマ	原液，30 分間	切創による感染防止のために前もっての消毒に用いる
汚れた外傷	原　液	発泡による異物除去効果と嫌気性菌に対する抗菌効果
口腔粘膜	原液または 2 倍希釈	洗浄，殺菌
洗　口	10 倍希釈液	

3）有害作用

強い眼刺激性を示すので，適用後の眼科用器材には十分な水洗い（すすぎ）が必要である。

4）不活性化

粘膜や血液中に存在するカタラーゼの作用により分解する。したがって生体適用では，発泡による異物除去効果は期待できるものの，消毒効果は小さい。

5）誤った用い方とその理由

①隅角鏡への使用後，水洗い（すすぎ）を行わない→残留オキシドールによる強烈な眼刺激
②ハードコンタクトレンズへの使用後，チオ硫酸ナトリウムによる中和，または十分な水洗い（すすぎ）を行わない→残留オキシドールによる強烈な眼刺激

II　アルデヒド類

1　フタラール（オルトフタルアルデヒド）

1）作用機序と特徴[4-6, 25-42)]

菌体蛋白のアルキル化により抗菌力を発現する。グルタラールの類似化合物であり，0.55％液が発売されている。
　長所と欠点は次のようである。
＜長　所＞
①バチルス属（枯草菌など）の芽胞を除くすべての微生物に有効である（図9）。クロストリジウム属（*Clostridioides difficile* など）の芽胞に有効。
②材質を傷めにくい。
＜欠　点＞
蒸気が粘膜を刺激し，液の付着で化学損傷（熱傷）が生じる。

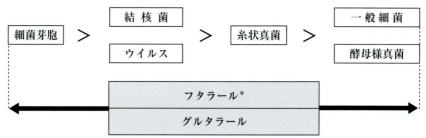

図9 微生物の消毒薬抵抗性の強さ，およびアルデヒド類の抗微生物スペクトル

2）適用の実際

内視鏡の消毒に用いる。

3）抵抗性を示す微生物

バチルス属（枯草菌など）の芽胞や，クリプトスポリジウム（*Cryptosporidium*）のオーシスト（嚢子：いわゆる卵の殻に包まれた状態）が抵抗性を示す。

4）有害作用

（1）蒸気が眼や呼吸器系の粘膜を刺激する

＜対　策＞

換気を十分に行うとともに，専用マスクや保護メガネを着用する。

（2）液の付着で化学損傷が生じる

＜対　策＞

①手袋やプラスチックエプロンを着用する。

②保護メガネを着用する。

5）不活性化

有機物による効力低下は小さい。したがって，血液などの存在下でも消毒効果を発揮する。

6）誤った用い方とその理由

①床の清拭→蒸気による粘膜刺激

②超音波ネブライザーの消毒→残留毒性

③食器類の消毒→残留毒性

④リネン類の消毒→残留毒性

2 グルタラール（グルタルアルデヒド）

1）作用機序と特徴[43-50]

菌体蛋白のアルキル化により抗菌力を発現する。2％グルタラール液および3％グルタラール液がある。

長所と欠点は次のようである。

＜長　所＞
　材質を傷めにくい。
＜欠　点＞
　刺激臭が強い。

2）適用の実際
　抗菌スペクトルが広く，かつ材質を傷めにくい。

3）抵抗性を示す微生物
　クリプトスポリジウムのオーシストが抵抗性を示す。

4）有害作用
　（1）蒸気が眼や呼吸器系の粘膜を刺激する
＜対　策＞
　換気を十分に行うとともに，専用マスクや保護メガネを着用する。
　（2）液の付着で化学損傷が生じる
＜対　策＞
①手袋やプラスチックエプロンを着用する。
②保護メガネを着用する。

5）不活性化
　有機物による効力低下は小さい。したがって，血液などの存在下でも消毒効果を発揮する。

6）誤った用い方とその理由
①床の清拭→蒸気による粘膜刺激
②超音波ネブライザーの消毒→残留毒性
③食器類の消毒→残留毒性
④リネン類の消毒→残留毒性

B 中水準消毒薬

I ハロゲン系薬剤

ハロゲン系薬剤には，塩素系消毒薬とヨウ素系消毒薬がある。

1 塩素系消毒薬（次亜塩素酸ナトリウム，ジクロルイソシアヌール酸ナトリウムなど）

1）作用機序と特徴 [10, 36, 37, 50-81]

酵素阻害，蛋白変性，および核酸の不活性化などにより抗菌力を発現すると推定されている。

次亜塩素酸ナトリウムやジクロルイソシアヌール酸ナトリウムなどがある。

長所および欠点は次のようである。

＜長　所＞
①広範囲の抗微生物スペクトルを示す（図10）。
②低残留性：蛋白質と反応して食塩となる。塩素ガスを発生する。

＜欠　点＞
①金属腐食性がある。
②脱色作用がある。
③塩素ガスが粘膜を刺激する。
④低濃度液は有機物（汚れ）で不活性化されやすい。

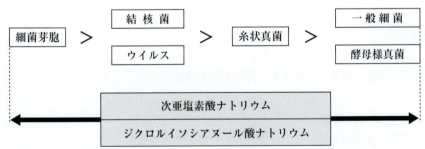

図10　微生物の消毒薬抵抗性の強さ，および塩素系消毒薬の抗微生物スペクトル

2）適用の実際

低残留性であることから，「食」や「呼吸器」関連の器材や，リネン類の消毒に汎用される。また，殺芽胞作用を利用してクロストリディオイデス・ディフィシル（*Clostridioides difficile*）の芽胞汚染を受けた環境の消毒に，抗ウイルス作用を利用してノロウイルスやB型肝炎ウイルスなどのウイルス汚染を受けた環境の消毒に用いられる。

表17に，塩素系消毒薬の使用濃度例を示す。

表17 塩素系消毒薬の使用濃度例

遊離 塩素濃度（ppm）	消毒対象
0.1	水道水
1	プール水
100	ほ乳瓶，経腸栄養剤の投与容器など
200	食器，まな板，リネンなど
1,000～5,000	ノロウイルス汚染の環境など

3）抵抗性を示す微生物

クリプトスポリジウムのオーシストがやや抵抗性を示す。

4）有害作用

（1）塩素ガスが粘膜を刺激する

＜対　策＞

①換気を行う。
②保護メガネを着用する。
③浸漬容器には蓋をする。

（2）高濃度液〔1％（10,000 ppm）以上〕の付着で化学損傷（熱傷）が生じる

＜対　策＞

高濃度液の取り扱いでは，ゴム手袋，プラスチックエプロンおよびフェイスシールドなどを着用する。

5）不活性化

有機物による効力低下が大である。したがって，医療器材の消毒では，汚れの除去後に使用することを原則とする。また，環境の消毒でも，汚れの除去後に用いる。

6）誤った用い方とその理由

①酸性物質（酸性の洗浄剤など）との混合→大量の塩素ガスの発生
②金属製品に使用→金属腐食性
③色・柄物に使用→漂白（脱色）
④毛，絹，ナイロン，アセテートおよびポリウレタンに使用→材質の劣化

2 ヨウ素系消毒薬（ポビドンヨードなど）

1）作用機序と特徴 [82-89]

菌体蛋白や核酸の破壊により抗菌力を示す。ポビドンヨード，洗浄剤含有ポビドンヨード，およびエタノール含有ポビドンヨードなどがある。

＜長　所＞

広範囲の抗微生物スペクトルを示す（図11）。

<欠　点>
殺菌効果の発現までに2分間程度かかる（アルコールと比べると速効性に欠ける）。

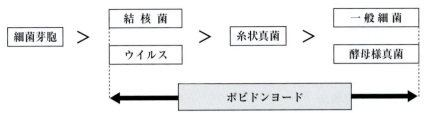

図11　微生物の消毒薬抵抗性の強さ，およびヨウ素系消毒薬の抗微生物スペクトル

2）適用の実際

ポビドンヨードは，生体の消毒に幅広く用いられている。また洗浄剤含有ポビドンヨードは手術前の手指消毒などに，エタノール含有ポビドンヨードはカテーテル刺入部位や手術野などの消毒に用いられている。

表18に，ポビドンヨードの適用と使用上の留意点を示す。

表18　ポビドンヨードの適用と使用上の留意点*

消毒薬	適　用	使用上の留意点
ポビドンヨード	手術野の皮膚・粘膜 創傷部位 熱傷皮膚面 感染皮膚面 カテーテル刺入部位	①腹腔や胸腔へは用いない 　（ショックの可能性） ②体表面積20％以上または腎不全のある熱傷患者には用いない 　（大量吸収による副作用） ③新生児への広範囲使用を避ける 　（大量吸収による副作用）
洗浄剤含有 ポビドンヨード	手指・皮膚 手術部位の皮膚	①手指への頻回使用を避ける 　（手荒れを生じる） ②粘膜や創部へ用いない 　（洗浄剤が毒性を示す） ③首から上の手術野消毒に用いない 　（誤って眼や耳に入った場合，洗浄剤が毒性を示す）
エタノール含有 ポビドンヨード	手術部位の皮膚 カテーテル刺入部位	①粘膜や創部へ用いない 　（エタノールが毒性を示す） ②首から上の手術野消毒に用いない 　（誤って眼や耳に入った場合，エタノールが毒性を示す） ③引火性 　（手術野への使用では乾燥したことを確認する）

*ポロクサマヨード，ヨウ素・ポリビニルアルコール，ヨードチンキおよび希ヨードチンキについてはAppendix「消毒薬一覧」（p.165）を参照

3）抵抗性を示す微生物

バチルス属（枯草菌など）の芽胞や，クリプトスポリジウムのオーシストが抵抗性を示す。

4）有害作用
粘膜，損傷皮膚および新生児の皮膚から吸収されやすい（大量吸収により全身毒性）。

5）不活性化
有機物の存在で効力が低下する。とくに希釈液では効力低下が大きい。したがって創部へは原液を用いる。

6）誤った用い方とその理由
①洗浄剤含有ポビドンヨードで頻回に手洗い→手荒れ
②100倍希釈ポビドンヨードを吸入液として使用→毒性
③100倍希釈ポビドンヨードを腹腔などの体腔の洗浄に使用→ショック発現の可能性

II アルコール類

1）作用機序と特徴[89-117]
　蛋白変性により抗菌力を発現する。消毒用エタノール（76.9〜81.4％），70％イソプロパノール（イソプロピルアルコール），および速乾性擦式アルコール製剤などがある。また，pH調整や有機酸の添加などにより，ノロウイルスなどに対して効力を高めたアルコール製剤も発売されている。
　長所と欠点は次のようである。

＜長　所＞
①細菌芽胞を除くすべての微生物に有効である（図12）。
②短時間で効力を発現する（例：一般細菌を10秒間で殺滅）。
③揮発性である。

＜欠　点＞
　引火性がある。

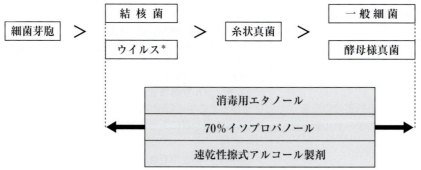

＊A型肝炎ウイルス，ヒトパピローマウイルス，ノロウイルスおよびパルボウイルスに対するアルコールの効果は弱い

図12　微生物の消毒薬抵抗性の強さ，およびアルコール類の抗微生物スペクトル

2）適用の実際
　注射剤のアンプル・バイアル，体温計および環境（処置台など）等に用いられる。軽い汚れであれ

ば，その除去効果も期待できる。また，速乾性擦式アルコール製剤が手指消毒に汎用されている。
　表19に，アルコール類の使用例を示す。

表19　アルコール類の使用例

対　象	使用法
体温計 聴診器 注射剤のアンプル・バイアル 血圧計のマンシェット 処置台 床頭台 オーバーテーブル カート 洋式トイレの便座 フラッシュバルブ 水道レバー	清　拭
鋼製小物	10分間浸漬

3）抵抗性を示す微生物
　バチルス属（枯草菌など）やクロストリジウム属（*Clostridiodes difficile* など）等の芽胞が抵抗性を示す。

4）有害作用
　引火性があり，火気厳禁である。したがって，広範囲面積の環境への使用は避ける。また，手術野への使用では乾燥を確認してから電気メスなどを使用する。なお，粘膜や損傷皮膚に対しては刺激性を示すので，これらの部位への使用は禁忌である。

5）不活性化
　アルコール濃度が50％以下になると，強力な消毒効果は期待できない。

6）誤った使い方とその理由
①床の広範囲清拭→引火性
②広範囲かつ，べとべとに濡れるほど白衣に噴霧→引火性
③5分間以上にわたって内視鏡を浸漬→レンズセメントの劣化
④手荒れや創のある手指への速乾性擦式アルコール製剤の使用→刺激性

C 低水準消毒薬

I 第四級アンモニウム塩

1）作用機序と特徴 [56-60, 118-136]

陽電荷が細菌内に侵入し，菌体蛋白に影響して殺菌作用を示す。逆性石けんまたは陽イオン界面活性剤ともいい，ベンザルコニウム塩化物やベンゼトニウム塩化物がある。

長所と欠点は次のようである。

＜長　所＞
①臭いなどが少なく，使いやすい。
②材質を傷めにくい。

＜欠　点＞
①抗菌スペクトルが狭い。
②取り扱い方法を誤ると細菌汚染が生じる。

2）適用の実際

生体消毒や，環境・器材の消毒に用いる。

3）抵抗性を示す微生物

細菌芽胞には無効である。また，結核菌，ウイルスおよび糸状真菌に対する殺菌力は弱い（図13）。

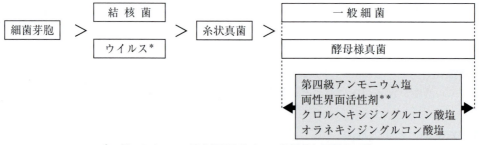

＊一部のウイルスの消毒薬抵抗性は，一般細菌と同程度に弱い
＊＊両性界面活性剤は結核菌に対しても抗菌力を示す

図13　微生物の消毒薬抵抗性の強さ，および低水準消毒薬の抗微生物スペクトル

4）有害作用

経口毒性が高い。10％製品の成人致死量は 10～30 mL である。したがって，10％製品などを患者の手の届く場所に置かないようにする。また，高濃度液（0.1％以上）を誤って粘膜へ適用すると，化学損傷（熱傷）が生じる。したがって，希釈調製時での濃度の誤りを防止するために，生体適用では希釈・滅菌済みの製品の使用が勧められる。

5）不活性化

陰イオン界面活性剤である石けんと混合すると，不活性化が生じる。

6）誤った用い方とその理由

①含浸綿を長期間（7日間など）にわたって分割使用→細菌汚染

②ポンプ（ディスペンサー）式容器へつぎ足し使用→細菌汚染

③石けんとの混合使用→効力低下

II　両性界面活性剤

1）作用機序と特徴 [137-139]

　陽イオンが菌体蛋白などに作用して殺菌効果を示す。一般細菌と酵母様真菌に効果を示し，長時間の接触においては結核菌にも作用する（図13）。また，界面活性作用による強い洗浄効果も備えている。

　アルキルジアミノエチルグリシン塩酸塩が発売されている。

　長所と欠点は次のようである。

＜長　所＞

①臭いなどが少なく，使いやすい。

②材質を損傷しにくい。

＜欠　点＞

①抗菌スペクトルが狭い。

②取り扱い方法を誤ると細菌汚染が生じる。

2）適用の実際

　器材や環境の消毒に用いる。

3）抵抗性を示す微生物

　細菌芽胞には無効である。また，ウイルスや糸状真菌に対する効果は弱い。

4）有害作用

　脱脂作用が強いので，手指消毒には適さない。

5）不活性化

　陰イオン界面活性剤である石けんと混合すると，不活性化が生じる。

6）誤った用い方とその理由

①含浸ガーゼを長期間（7日間など）にわたって分割使用→細菌汚染

②ポンプ（ディスペンサー）式容器へつぎ足し使用→細菌汚染

③石けんとの混合使用→効力低下

III　クロルヘキシジングルコン酸塩

1）作用機序と特徴 [105, 106, 108, 112-115, 137-155]

　ビグアナイド系の化合物であり，細胞内成分の漏出や酵素阻害などにより抗菌力を発現する。

　主成分のみの製剤，非イオン界面活性剤と色素を添加した製剤，洗浄剤を添加した製剤，消毒用エ

タノール中に溶解させた 0.5 〜 1 %製剤などがある。
　長所と欠点は次のようである。
＜長　所＞
①臭いなどが少なく，使いやすい。
②材質を損傷しにくい。
③消毒用エタノール含有では強い殺菌力と持続効果を示す。
＜欠　点＞
①抗菌スペクトルが狭い。
②取り扱い方法を誤ると細菌汚染が生じる。

2）適用の実際
　主に生体消毒に用いる。

3）抵抗性を示す微生物
　細菌芽胞には無効である。また，結核菌，ウイルスおよび糸状真菌に対する効果は弱い（図13）。

4）有害作用
　0.05％液は創傷部位の消毒に有用であるが，誤って0.5％液を用いるとショックが発現する可能性がある。また，0.02％液が結膜嚢の消毒に用いられるが，0.1％を超える濃度は角膜障害の原因になる。このようにクロルヘキシジングルコン酸塩の生体適用では，使用濃度の誤りが重篤な副作用を招く。したがって，使用時における濃度の確認はもちろん，希釈調製時での濃度の誤りを防止するために，希釈・滅菌済み製品の使用が勧められる。

5）不活性化
　陰イオン界面活性剤である石けんと混合すると，不活性化が生じる。

6）誤った用い方とその理由
①0.5％クロルヘキシジンアルコールを首から上の手術野消毒に使用→誤って眼や耳に飛入した場合での強い毒性
②0.5％クロルヘキシジンアルコールを患者と手術台の間に溜まるほど大量使用→引火性
③含浸綿を長期間（7日間など）にわたって分割使用→細菌汚染
④ポンプ（ディスペンサー）式容器へつぎ足し使用→細菌汚染
⑤石けんとの混合使用→効力低下

Ⅳ　オラネキシジングルコン酸塩

1）作用機序と特徴[156-158]
①クロルヘキシジングルコン酸塩に比べてより強い殺菌効果を示す。
②手術野への適用で持続効果を示す。
③アプリケータ製品は薬液無菌充填・包装内滅菌済みであり，衛生的かつ簡便に取り扱うことができる。

2）適用の実際
手術野（皮膚）の消毒に用いる。

3）抵抗性を示す微生物
細菌芽胞には無効である。また，一部のウイルス，結核菌および糸状真菌に対する効果は弱い。

4）有害作用
皮膚炎，紅斑，瘙痒感。

5）誤った用い方とその理由
①粘膜や，眼および耳などへの使用→毒性を示す可能性がある
②含浸綿を長期間（7日間など）にわたって分割使用→細菌汚染
③ポンプ（ディスペンサー）式容器へつぎ足し使用→細菌汚染
④石けんとの混合使用→効力低下

Ⅴ　フェノール類

1）作用機序と特徴 [159-163]
　必須酵素の不活性化や細胞壁の破壊などにより抗菌力を発現する。フェノールおよびクレゾール石けんがある。
　長所と欠点は次のようである。
＜長　所＞
①有機物（汚れ）が存在しても，効力が低下しにくい。
②有機物への浸透性がよい。
③一般細菌や酵母様真菌のみならず，糸状真菌や結核菌にも有効である。
＜欠　点＞
①毒性が強い〔皮膚付着で化学損傷（熱傷）が生じる〕。
②排水規制がある（病床数300床以上の病院では，公共用下水への排出濃度がフェノール類として5 ppm以下）。

2）適用の実際
毒性が強いので，使用は勧められない。

3）抵抗性を示す微生物
細菌芽胞およびエンベロープをもたないウイルス（ノロウイルス，ロタウイルスなど）が抵抗性を示す。

4）有害作用
原液〜5倍希釈液の付着で化学損傷が生じる。
＜対　策＞
手袋，プラスチックエプロンおよび保護メガネなどを着用する。

5）不活性化

有機物による効力低下は小さい。したがって，糞便などの消毒には適している。

6）誤った用い方とその理由

①リネン類の消毒→残留毒性
②給食室の環境消毒→残留毒性や，食物への臭いの付着
③手指の消毒→手荒れ

■文　献

1) Cowan T : Sterilizing solutions for heat-sensitive instruments. Prof Nurse 1997 ; 13 : 55-58.
2) BSG Endoscopy Committee Working Party : Cleaning and disinfection of equipment for gastrointestinal endoscopy. Report of a Working Party of the British Society of Gastroenterology Endoscopy Committee. Gut 1998 ; 42 : 585-593.
3) 坂上吉一，勝川千尋，加瀬哲夫，他：過酢酸製剤の各種微生物に対する殺菌効果の検討．防菌防黴 1998；26：605-610.
4) Rutala WA, Weber DJ : Disinfection of endoscopes : Review of new chemical sterilants used for high-level disinfection. Infect Control Hosp Epidemiol 1999 ; 20 : 69-76.
5) Walsh SE, Maillard J-Y, Russell AD : Ortho-phthalaldehyde : a possible alternative to glutaraldehyde for high level disinfection. J Appl Microbiol 1999 ; 86 : 1039-1046.
6) Rideout K, Teschke K, Dimich-Ward H, et al : Considering risks to healthcare workers from glutaraldehyde alternatives in high-level disinfection. J Hosp Infect 2005 ; 59 : 4-11.
7) Izatt D : Endoscopic decontamination : an audit and practical review. author reply. J Hosp Infect 2003 ; 54 : 82.
8) Hess JA, Molinari JA, Gleason MJ, et al : Epidermal toxicity of disinfectants. Am J Dent 1991 ; 4 : 51-56.
9) Centers for Disease Control and Prevention（CDC）: Guideline for disinfection and sterilization in healthcare facilities, 2008.
https://www.cdc.gov/infection-control/media/pdfs/Guideline-Disinfection-H.pdf
10) Oie S, Obayashi A, Yamasaki H, et al : Disinfection methods for spores of *Bacillus atrophaeus*, *B. anthracis*, *Clostridium tetani*, *C. botulinum* and *C. difficile*. Biol Pharm Bull 2011 ; 34 : 1325-1329.
11) Setlow P, Christie G : What's new and notable in bacterial spore killing! World J Microbiol Biotechnol 2021 ; 37 : 144.
12) Vizcaino-Alcaide MJ, Herruzo-Cabrera R, Fernandez-Aceñero MJ : Comparison of the disinfectant efficacy of Perasafe® and 2% glutaraldehyde in *in vitro* tests. J Hosp Infect 2003 ; 53 : 124-128.
13) Cadnum JL, Pearlmutter BS, Haq MF, et al : Effectiveness and real-world materials compatibility of a novel hydrogen peroxide disinfectant cleaner. Am J Infect Control 2021 ; 49 : 1572-1574.
14) Cadnum JL, Jencson AL, O'Donnell MC, et al : An increase in healthcare-associated *Clostridium difficile* infection associated with use of a defective peracetic acid-based surface disinfectant. Infect Control Hosp Epidemiol 2017 ; 38 : 300-305.
15) Casey ML, Hawley B, Edwards N, et al : Health problems and disinfectant product exposure among staff at a large multispecialty hospital. Am J Infect Control 2017 ; 45 : 1133-1138.
16) Baldry MGC : The bactericidal, fungicidal and sporicidal properties of hydrogen peroxide and peracetic acid. J Appl Bacteriol 1983 ; 54 : 417-423.
17) Centers for Disease Control（CDC）: Recommendations for preventing possible transmission of human T-lymphotropic virus type Ⅲ/lymphadenopathy-associated virus from tears. MMWR Morb Mortal Wkly Rep 1985 ; 34 : 533-534.
18) Wilson LA, Sawant AD, Ahearn DG : Comparative efficacies of soft contact lens disinfectant solutions

against microbial films in lens cases. Arch Ophthalmol 1991 ; 109 : 1155-1157.
19) Lingel NJ, Coffey B : Effects of disinfecting solutions recommended by the Centers for Disease Control on Goldmann tonometer biprisms. J Am Optom Assoc 1992 ; 63 : 43-48.
20) Oie S, Kamiya A : Combined effects of povidone-iodine and hydrogen peroxide on spores of *Clostridium tetani*. Biomed Letters 1994 ; 49 : 209-212.
21) Rutala WA : APIC guideline for selection and use of disinfectants. Am J Infect Control 1996 ; 24 : 313-342.
22) Block SS : Disinfection, sterilization, and preservation. 5th ed. Philadelphia : Lippincott Williams & Wilkins, 2000.
23) Ragan A, Cote SL, Huang JT : Disinfection of the Goldman applanation tonometer : a systematic review. Can J Ophthalmol 2018 ; 53 : 252-259.
24) Watt BE, Proudfoot AT, Vale JA : Hydrogen peroxide poisoning. Toxicol Rev 2004 ; 23 : 51-57.
25) Kanemitsu K, Endo S, Oda K, et al : An increased incidence of *Enterobacter cloacae* in a cardiovascular ward. J Hosp Infect 2007 ; 66 : 130-134.
26) Fujita H, Ogawa M, Endo Y : A case of occupational bronchial asthma and contact dermatitis caused by ortho-phthalaldehyde exposure in a medical worker. J Occup Health 2006 ; 48 : 413-416.
27) 宮島啓子，吉田仁，熊谷信二：内視鏡消毒従事者におけるオルトフタルアルデヒドへの曝露状況．産業衛誌 2010 ; 52 : 74-80.
28) 藤田浩，沢田泰之，小川真規，他：内視鏡消毒剤オルト・フタルアルデヒドによる健康障害とその対策．産業衛誌 2007 ; 49 : 1-8.
29) Gregory AW, Schaalje GB, Smart JD, et al : The mycobactericidal efficacy of ortho-phthalaldehyde and the comparative resistances of *Mycobacterium bovis*, *Mycobacterium terrae*, and *Mycobacterium chelonae*. Infect Control Hosp Epidemiol 1999 ; 20 : 324-330.
30) 尾家重治：環境による健康リスク，Ⅲ環境汚染に伴う健康リスク，D医療機関の化学物質管理と廃棄物処理「消毒剤」．日医師会誌 2017 ; 146 : S229-S231.
31) Abdulla FR, Adams BB : Ortho-phthalaldehyde causing facial stains after cystoscopy. Arch Dermatol 2007 ; 143 : 670.
32) Cooper DE, White AA, Werkema AN, et al : Anaphylaxis following cystoscopy with equipment sterilized with Cidex OPA (ortho-phthalaldehyde) : a review of two cases. J Endourol 2008 ; 22 : 2181-2184.
33) Sokol WN : Nine episodes of anaphylaxis following cystoscopy caused by Cidex OPA (ortho-phthalaldehyde) high-level disinfectant in 4 patients after cystoscopy. J Allergy Clin Immunol 2004 ; 114 : 392-397.
34) Horikiri M, Park S, Matsui T, et al : Ortho-phthalaldehyde-induced skin mucous membrane damage from inadequate washing. BMJ Case Rep 2011 ; 2011 : bcr0220102709.
35) Miner N, Harris V, Lukomski N, et al : Rinsability of orthophthalaldehyde from endoscopes. Diagn Ther Endosc 2012 ; 2012 : 853781.
36) Rashid T, Haghighi F, Hasan I, et al : Activity of hospital disinfectants against vegetative cells and spores of *Clostridioides difficile* embedded in biofilms. Antimicrob Agents Chemother 2019 ; 64 : e01031-19.
37) Ozbun MA, Bondu V, Patterson NA, et al : Infectious titres of human papillomaviruses (HPVs) in patient lesions, methodological considerations in evaluating HPV infectivity and implications for the efficacy of high-level disinfectants. EBioMedicine 2021 ; 63 : 103165.
38) Robitaille C, Boulet LP : Occupational asthma after exposure to *ortho*-phthalaldehyde (OPA). Occup Environ Med 2015 ; 72 : 381.
39) Atiyeh K, Chitkara A, Achlatis S, et al : Allergic reaction to ortho-phthalaldehyde following flexible laryngoscopy. Laryngoscope 2015 ; 125 : 2349-2352.
40) Yamamoto S, Hachiya Y, Yuasa E, et al : Evaluation of the ceiling levels of *ortho*-phthalaldehyde exposure among health care workers engaged in endoscope disinfection : A new methodology using video-exposure monitoring. J Occup Health 2020 ; 62 : e12139.

41) Egawa N, Shiraz A, Crawford R, et al : Dynamics of papillomavirus *in vivo* disease formation & susceptibility to high-level disinfection-Implications for transmission in clinical settings. EBioMedicine 2021 ; 63 : 103177.
42) Dawson CJ, Werling T, Farrington M : High level disinfection of flexible nasopharyngoscopes, videolaryngoscopes, and rigid nasal endoscopes: an evidence-based approach. ORL Head Neck Nurs 2013 ; 31 : 7-13.
43) Gorman SP, Scott EM, Russell AD : Antimicrobial activity, uses and mechanism of action of glutaraldehyde. J Appl Bacteriol 1980 ; 48 : 161-190.
44) Best M, Sattar SA, Springthorpe VS, et al : Efficacies of selected disinfectants against *Mycobacterium tuberculosis*. J Clin Microbiol 1990 ; 28 : 2234-2239.
45) Rutala WA, Gergen MF, Weber DJ : Sporicidal activity of chemical sterilants used in hospitals. Infect Control Hosp Epidemiol 1993 ; 14 : 713-718.
46) Russell AD : Glutaraldehyde : current status and uses. Infect Control Hosp Epidemiol 1994 ; 15 : 724-733.
47) Deva AK, Vickery K, Zou J, et al : Establishment of an in-use testing method for evaluating disinfection of surgical instruments using the duck hepatitis B model. J Hosp Infect 1996 ; 33 : 119-130.
48) Kayabas U, Bayraktar M, Otlu B, et al : An outbreak of *Pseudomonas aeruginosa* because of inadequate disinfection procedures in a urology unit : a pulsed-field gel electrophoresis-based epidemiologic study. Am J Infect Control 2008 ; 36 : 33-38.
49) Nayebzadeh A : The effect of work practices on personal exposure to glutaraldehyde among health care workers. Ind Health 2007 ; 45 : 289-295.
50) Arrandale VH, Liss GM, Tarlo SM, et al : Occupational contact allergens: are they also associated with occupational asthma? Am J Ind Med 2012 ; 55 : 353-360.
51) Williams ND, Russell AD : The effects of some halogen-containing compounds on *Bacillus subtillis* endospores. J Appl Bactcrial 1991 ; 70 : 427-436.
52) Tsiquaye KN, Barnard J : Chemical disinfection of duck hepatitis B virus : a model for inactivation of infectivity of hepatitis B virus. J Antimicrob Chemother 1993 ; 32 : 313-323.
53) Druce JD, Jardine D, Locarnini SA, et al : Susceptibility of HIV to inactivation by disinfectants and ultraviolet light. J Hosp Infect 1995 ; 30 : 167-180.
54) Oie S, Kamiya A : Disinfection of feeding bottles by sodium hypochlorite or sodium dichloroisocyanurate. Biomed Letters 1995 ; 51 : 57-61.
55) Division of Viral Diseases, National Center for Immunization and Respiratory Diseases, Centers for Disease Control and Prevention : Updated norovirus outbreak management and disease prevention guidelines. MMWR Recomm Rep 2011 ; 60 : 1-18.
56) Denyer SP, Hodges NA, Gorman SP, et al : Hugo and Russell's pharmaceutical microbiology. 8th ed. Oxford : Wiley-Blackwell, 2011.
57) Ayliffe GAJ, Coates D, Fraise AP : Chemical disinfection in hospitals. London : Public Health Laboratory Service, 1993.
58) Ayliffe GAJ, Fraise AP, Geddes AM, et al : Control of hospital infection. 4th ed. London : Chapman & Hall Medical, 2000.
59) American Medical Association : Drug evaluations annual 1995. Philadelphia : WB Saunders, 1995.
60) Reynolds JEF : Martindale the extra pharmacopoeia. 31th ed. London : The Pharmaceutical Press, 1996.
61) 小林晃子, 尾家重治, 神谷晃：高水準消毒薬の殺芽胞効果に及ぼす温度および有機物の影響. 環境感染 2006 ; 21 : 236-240.
62) Wiktorczyk-Kapischke N, Grudlewska-Buda K, Wałecka-Zacharska E, et al : SARS-CoV-2 in the environment-Non-droplet spreading routes. Sci Total Environ 2021 ; 770 : 145260.
63) Santarpia JL, Rivera DN, Herrera V, et al : Transmission potential of sars-cov-2 in viral shedding observed at the University of Nebraska Medical Center. medRxiv 2020.

64) 尾家重治，神谷晃：ほ乳瓶の消毒法の検討．母性衛生 2002；43：25-27.
65) Oie S, Kamiya A : Comparison of microbial contamination of enteral feeding solution between repeated use of administration sets after washing with water and after washing followed by disinfection. J Hosp Infect 2001 ; 48 : 304-307.
66) Weber DJ, Sickbert-Bennett EE, Vinjé J, et al : Lessons learned from a norovirus outbreak in a locked pediatric inpatient psychiatric unit. Infect Control Hosp Epidemiol 2005 ; 26 : 841-843.
67) Barker J, Vipond IB, Bloomfield SF : Effects of cleaning and disinfection in reducing the spread of norovirus contamination via environmental surfaces. J Hosp Infect 2004 ; 58 : 42-49.
68) Sattar SA : Microbicides and the environmental control of nosocomial viral infections. J Hosp Infect 2004 ; 56（Suppl 2）: S64-69.
69) Bloomfield SF, Smith-Burchnell CA, Dalgleish AG : Evaluation of hypochlorite-releasing disinfectants against the human immunodeficiency virus（HIV）. J Hosp Infect 1990 ; 15 : 273-278.
70) Deschamps D, Soler P, Rosenberg N, et al : Persistent asthma after inhalation of a mixture of sodium hypochlorite and hydrochloric acid. Chest 1994 ; 105 : 1895-1896.
71) Oie S, Makieda D, Ishida S, et al : Microbial contamination of nebulization solution and its measures. Biol Pharm Bull 2006 ; 29 : 503-507.
72) Chadwick PR, Beards G, Brown D, et al : Management of hospital outbreaks of gastro-enteritis due to small roundstructured viruses. J Hosp Infect 2000 ; 45 : 1-10.
73) Girard M, Ngazoa S, Mattison K, et al : Attachment of noroviruses to stainless steel and their inactivation, using household disinfectants. J Food Prot 2010 ; 73 : 400-404.
74) Centers for Disease Control and Prevention（CDC）: Infection control recommendations for prevention of transmission of diarrheal diseases in evacuation centers. September 10, 2005. https://phpa.health.maryland.gov/IDEHASharedDocuments/guidelines/diarrhea_at_shelters.pdf
75) Tung G, Macinga D, Arbogast J, et al : Efficacy of commonly used disinfectants for inactivation of human noroviruses and their surrogates. J Food Prot 2013 ; 76 : 1210-1217.
76) Chiu S, Skura B, Petric M, et al : Efficacy of common disinfectant/cleaning agents in inactivating murine norovirus and feline calicivirus as surrogate viruses for human norovirus. Am J Infect Control 2015 ; 43 : 1208-1212.
77) Ciofi-Silva CL, Bruna CQM, Carmona RCC, et al : Norovirus recovery from floors and air after various decontamination protocols. J Hosp Infect 2019 ; 103 : 328-334.
78) Martin H, Soumet C, Fresnel R, et al : Comparison of the virucidal efficiency of peracetic acid, potassium monopersulfate and sodium hypochlorite on hepatitis A and enteric cytopathogenic bovine orphan virus. J Appl Microbiol 2013 ; 115 : 955-968.
79) Robotta P, Wefelmeier M : Accidental sodium hypochlorite injection instead of anaesthetic solution - a literature review. ENDO 2011 ; 5 : 195-199.
80) Goswami M, Chhabra N, Kumar G, et al : Sodium hypochlorite dental accidents. Paediatr Int Child Health 2014 ; 34 : 66-69.
81) Junk AK, Chen PP, Lin SC, et al : Disinfection of tonometers : a report by the American Academy of Ophthalmology. Ophthalmology 2017 ; 124 : 1867-1875.
82) Haley CE, Marling-Cason M, Smith JW, et al : Bactericidal activity of antiseptics against methicillin-resistant *Staphylococcus aureus*. J Clin Microbiol 1985 ; 21 : 991-992.
83) Laufman H : Current use of skin and wound cleansers and antiseptics. Am J Surg 1989 ; 157 : 359-365.
84) Lineaweaver W, Howard R, Soucy D, et al : Topical antimicrobial toxicity. Arch Surg 1985 ; 120 : 267-270.
85) Teepe RG, Koebrugge EJ, Löwik CW, et al : Cytotoxic effects of topical antimicrobial and antiseptic agents on human keratinocytes *in vitro*. J Trauma 1993 ; 35 : 8-19.
86) Zamora JL, Price MF, Chuang P, et al : Inhibition of povidone-iodine's bactericidal activity by common organic substances : an experimental study. Surgery 1985 ; 98 : 25-29.
87) 中野園子，内山昭則，上山博史，他：ポビドンヨードによる化学熱傷．麻酔 1991；40：812-815.

88) 大橋光江，大洞すみ子，戸田由紀子，他：手術中における背部紅斑に関する研究；イソジン消毒による影響．オペナーシング 1998；13：618-624．
89) Centers for Disease Control and Prevention (CDC) : Guidelines for the Prevention of Intravascular Catheter-Related Infections, 2011. https://www.cdc.gov/infection-control/media/pdfs/Guideline-BSI-H.pdf
90) Kobayashi H, Tsuzuki M, Koshimizu K, et al : Susceptibility of hepatitis B virus to disinfectants or heat. J Clin Microbiol 1984 ; 20 : 214-216.
91) Rutala WA, Cole EC, Wannamaker NS : Inactivation of *Mycobacterium tuberculosis* and *Mycobacterium bovis* by 14 hospital disinfectants. Am J Med 1991 : 91 (Suppl 3B) : 267S-271S.
92) Kjølen H, Andersen BM : Handwashing and disinfection of heavily contaminated hands : effective or ineffective? J Hosp Infect 1992 ; 21 : 61-71.
93) van Bueren J, Larkin DP, Simpson RA : Inactivation of human immunodeficiency virus type 1 by alcohols. J Hosp Infect 1994 ; 28 : 137-148.
94) Oie S, Huang Y, Kamiya A, et al : Efficacy of disinfectants against biofilm cells of methicillin-resistant *Staphylococcus aureus*. Microbios 1996 ; 85 : 223-230.
95) Belliot G, Lavaux A, Souihel D, et al : Use of murine norovirus as a surrogate to evaluate resistance of human norovirus to disinfectants. Appl Environ Microbiol 2008 ; 74 : 3315-3318.
96) 清水優子，牛島廣治，北島正章，他：ヒトノロウイルスの代替としてマウスノロウイルスを用いた消毒薬による不活化効果．環境感染 2009；24：388-394．
97) Shimizu-Onda Y, Akasaka T, Yagyu F, et al : The virucidal effect against murine norovirus and feline calicivirus as surrogates for human norovirus by ethanol-based sanitizers. J Infect Chemother 2013 ; 19 : 779-781.
98) Zonta W, Mauroy A, Farnir F, et al : Comparative virucidal efficacy of seven disinfectants against murine norovirus and feline calicivirus, surrogates of human norovirus. Food Environ Virol 2016 ; 8 : 1-12.
99) 岡本一毅，奥西淳二，渡邉幸彦，他：アルコール消毒薬のノンエンベロープウイルスに対する有効性改善策．環境感染 2010；25：68-71．
100) 奥西淳二，岡本一毅，西原豊，他：新規アルコール手指消毒薬 MR06B7 の有効性評価．薬学雑誌 2010；130：747-754．
101) 隈下祐一，加藤由美，高木一夫，他：ノロウイルス代替のネコカリシウイルスおよび各種微生物に有効なエタノール製剤の開発．防菌防黴 2007；35：725-732．
102) Suchomel M, Rotter M : Ethanol in pre-surgical hand rubs : concentration and duration of application for achieving European Norm EN 12791. J Hosp Infect 2011 ; 77 : 263-266.
103) 土家大輔，尾家重治，古川裕之，他：術前の手指消毒におけるウォーターレス法の消毒効果およびコストの評価．医療マネジメント会誌 2012；13：70-74．
104) 奥西淳二，和田祐爾，尾家重治：Waterless 手術時手指消毒法の有用性．環境感染 2010；25：217-222．
105) Nishihara Y, Kajiura T, Yokota K, et al : Antimicrobial efficacies of chlorhexidine gluconate-alcohols and a povidone-iodine solution as skin preparations *in vivo*. Healthcare Infection 2012 ; 17 : 52-56.
106) Yamamoto N, Kimura H, Misao H, et al : Efficacy of 1.0% chlorhexidine-gluconate ethanol compared with 10% povidone-iodine for long-term central venous catheter care in hematology departments : a prospective study. Am J Infect Control 2014 ; 42 : 574-576.
107) Pratt RJ, Pellowe CM, Wilson JA, et al : epic2 : National evidence-based guidelines for preventing healthcare-associated infections in NHS hospitals in England. J Hosp Infect 2007 ; 65 (Suppl 1) : S1-64.
108) Lin Q, Lim JYC, Xue K, et al : Sanitizing agents for virus inactivation and disinfection. View (Beijing) 2020 ; 1 : e16.
109) 木村哲，佐藤重仁，田島啓一，他：電気メスの火花がアルコール含有消毒液およびスポンジ枕に引火し熱傷を生じた症例．手術医学 1995；16：222-223．
110) Willis J, et al : Burns with hibitane tincture. FDA Drug Bull 1985 ; 15 : 9.
111) Tooher R, Maddern GJ, Simpson J : Surgical fires and alcohol-based skin preparations. ANZ J Surg 2004 ; 74 : 382-385.

112) Matsuyama T, Yasuda H, Sanui M, et al : Effect of skin antiseptic solutions on the incidence of catheter-related bloodstream infection : a systematic review and network meta-analysis. J Hosp Infect 2021 ; 110 : 156-164.
113) Guenezan J, Marjanovic N, Drugeon B, et al : Chlorhexidine plus alcohol versus povidone iodine plus alcohol, combined or not with innovative devices, for prevention of short-term peripheral venous catheter infection and failure (CLEAN 3 study) : an investigator-initiated, open-label, single centre, randomised-controlled, two-by-two factorial trial. Lancet Infect Dis 2021 ; 21 : 1038-1048.
114) Boyce JM : Best products for skin antisepsis. Am J Infect Control 2023 ; 51 : A58-A63.
115) Muhd Helmi MA, Lai NM, Van Rostenberghe H, et al : Antiseptic solutions for skin preparation during central catheter insertion in neonates (Review). Cochrane Database Syst Rev 2023 ; 5 : CD13841.
116) Rutala WA, Peacock JE, Gergen MF, et al : Efficacy of hospital germicides against adenovirus 8, a common cause of epidemic keratoconjunctivitis in health care facilities. Antimicrob Agents Chemother 2006 ; 50 : 1419-1424.
117) Massey J, Henry R, Minnich L, et al : Notes from the Field : Health care-associated outbreak of epidemic keratoconjunctivitis -West Virginia, 2015. MMWR Morb Mortal Wkly Rep 2016 ; 65 : 382-383.
118) Subpiramaniyam S : Outdoor disinfectant sprays for the prevention of COVID-19 : Are they safe for the environment? Sci Total Environ 2021 ; 759 : 144289.
119) Kayabas U, Bayraktar M, Otlu B, et al : An outbreak of *Pseudomonas aeruginosa* because of inadequate disinfection procedures in a urology unit : a pulsed-field gel electrophoresis-based epidemiologic study. Am J Infect Control 2008 ; 36 : 33-38.
120) Malizia WF, Gangarosa EJ, Goley AF : Benzalkonium chloride as a source of infection. N Engl J Med 1960 ; 263 : 800-802.
121) Lee JC, Fialkow PJ : Benzalkonium chloride-source of hospital infection with gram-negative bacteria. JAMA 1961 ; 177 : 708-710.
122) Hardy PC, Ederer GM, Matsen JM : Contamination of commercially packaged urinary catheter kits with the pseudomonad EO-1. N Engl J Med 1970 ; 282 : 33-35.
123) Frank MJ, Schaffner W : Contaminated aqueous benzalkonium chloride : an unnecessary hospital infection hazard. JAMA 1976 ; 236 : 2418-2419.
124) Dixon RE, Kaslow RA, Mackel DC, et al : Aqueous quaternary ammonium antiseptics and disinfectants : use and misuse. JAMA 1976 ; 236 : 2415-2417.
125) Ehrenkranz NJ, Bolyard FA, Wiener M, et al : Antibiotic-sensitive *Serratia marcescens* infections complicating cardiopulmonary operations : contaminated disinfectant as a reservoir. Lancet 1980 ; 2 : 1289-1292.
126) Rutala WA, Cole EC : Antiseptics and disinfectants-safe and effective? Infect Control 1984 ; 5 : 215-218.
127) Sautter RL, Mattman LH, Legaspi RC : *Serratia marcescens* meningitis associated with a contaminated benzalkonium chloride solution. Infect Control 1984 ; 5 : 223-225.
128) Nakashima AK, McCarthy MA, Martone WJ, et al : Epidemic septic arthritis caused by a *Serratia marcescens* and associated with a benzalkonium chloride antiseptic. J Clin Microbiol 1987 ; 25 : 1014-1018.
129) Terleckyj B, Axler DA : Quantitative neutralization assay of fungicidal activity of disinfectants. Antimicrob Agents Chemother 1987 ; 31 : 794-798.
130) Mbithi JN, Springthorpe VS, Sattar SA : Chemical disinfection of hepatitis A virus on environmental surfaces. Appl Environ Microbiol 1990 ; 56 : 3601-3604.
131) Best M, Kennedy ME, Coates F : Efficacy of a variety of disinfectants against *Listeria* spp. Appl Environ Microbiol 1990 : 56 : 377-380.
132) Sattar SA, Springthorpe VS : Survival and disinfectant inactivation of the human immunodeficiency virus : a critical review. Rev Infect Dis 1991 ; 13 : 430-447.
133) Merianos JJ : Surface active agents. In : Block SS, ed. Disinfection, sterilization, and preservation. 5th

134) Culver A, Geiger C, Simon D : Safer products and practices for disinfecting and sanitizing surfaces. City and county of San Francisco: SF Environment 2014 ; 1- 58.
135) Oie S, Kamiya A : Microbial contamination of antiseptics and disinfectants. Am J Infect Control 1996 ; 24 : 389-395.
136) Oie S, Kamiya A : Microbial contamination of antiseptic-soaked cotton balls. Biol Pharm Bull 1997 ; 20 : 667-669.
137) 李英徹：諸種消毒剤の結核菌に対する殺菌効果．結核 1981；56：567-576.
138) 市川意子，美誉志康：各種消毒剤の結核菌に対する殺菌効果の検討．防菌防黴 1980；8：143-147.
139) Oie S, Kamiya A, Tomita M, et al : Efficacy of disinfectants and heat against *Escherichia coli* O157:H7. Microbios 1999 ; 98 : 7-14.
140) 比延嶋睦典：グルコン酸クロルヘキシジンによる皮膚障害．皮膚病診療 1987；9：833-836.
141) 国立医薬品食品衛生研究所　安全情報部：医薬品安全性情報．Chlorhexidine 液：未熟児での皮膚の化学熱傷のリスク．2015；13：R03.
142) 厚生省薬務局：医療品副作用情報．No.5，1974.
143) 厚生省薬務局：医療品副作用情報．No.26，1977.
144) 厚生省薬務局：医療品副作用情報．No.37，1979.
145) 厚生省薬務局：医療品副作用情報．No.67，1984.
146) Okano M, Nomura M, Hata S, et al : Anaphylactic symptoms due to chlorhexidine gluconate. Arch Dermatol 1989 ; 125 : 50-52.
147) Ohtoshi T, Yamauchi N, Tadokoro K, et al : IgE antibody-mediated shock reaction caused by topical application of chlorhexidine. Clin Allergy 1986 ; 16 : 155-161.
148) Yaacob H, Jalil R : An unusual hypersensitivity reaction to chlorhexidine. J Oral Med 1986 ; 41 : 145-146.
149) 澤　充，稲葉全郎：眼科手術前の消毒薬について．臨床眼科 1977；31：443-448.
150) Tabor E, Bostwick DC, Evans CC, et al : Corneal damage due to eye contact with chlorhexidine gluconate. JAMA 1989 ; 261 : 557-558.
151) Hamed LM, Ellis FD, Boundreault G, et al : Hibiclens keratitis. Am J Ophthalmol 1987 ; 104 : 50-56.
152) Miller DL, O'Grady NP, Society of Interventional Radiology : Guidelines for the prevention of intravascular catheter-related infections : recommendations relevant to interventional radiology for venous catheter placement and maintenance. J Vasc Interv Radiol 2012 ; 23 : 997-1007.
153) Lorente L : What is new for the prevention of catheter-related bloodstream infections? Ann Transl Med 2016 ; 4 : 199.
154) Steinsapir KD, Woodward JA : Chlorhexidine keratitis : safety of chlorhexidine as a facial antiseptic. Dermatol Surg 2017 ; 43 : 1-6.
155) van Huyssteen AL, Bracey DJ : Chlorhexidine and chondrolysis in the knee. J Bone Joint Surg Br 1999 ; 81 : 995-996.
156) Inoue Y, Hagi A, Nii T, et al : Novel antiseptic compound OPB-2045G shows potent bactericidal activity against methicillin-resistant *Staphylococcus aureus* and vancomycin-resistant *Enterococcus* both *in vitro* and *in vivo* : a pilot study in animals. J Med Microbiol 2015 ; 64 : 32-36.
157) Hagi A, Iwata K, Nii T, et al : Bactericidal effects and mechanism of action of olanexidine gluconate, a new antiseptic. Antimicrob Agents Chemother 2015 ; 59 : 4551-4559.
158) Jalalzadeh H, Groenen H, Buis DR, et al : Efficacy of different preoperative skin antiseptics on the incidence of surgical site infections : a systematic review, GRADE assessment, and network meta-analysis. Lancet Microbe 2022 ; 3 : e762-e771.
159) Pardoe R, Minami RT, Sato RM, et al : Phenol burns. Burns 1977 ; 3 : 29-41.
160) Gélinas P, Goulet J : Neutralization of the activity of eight disinfectants by organic matter. J Appl Bacteriol 1983 ; 54 : 243-247.
161) Scott EM, Gorman SP, McGrath SJ : An assessment of the fungicidal activity of antimicrobial agents

used for hard-surface and skin disinfection. J Clin Hosp Pharm 1986 ; 11 : 199-205.
162) Foxall PJD, Bending MR, Gartland KPR, et al : Acute renal failure following accidental cutaneous absorption of phenol : application of NMR urinalysis to monitor the disease process. Hum Toxicol 1989 ; 8 : 491-496.
163) Mayhall CG : Hospital epidemiology and infection control. 4th ed. Baltimore : Lippincott Williams & Wilkins, 2011.

4 対象疾患別消毒法

■感染症法における対象疾患別の消毒のまとめ（表20）

　一類感染症の病原体で汚染された機器・器材・環境の消毒は厳重に行う必要がある。また，二類および三類感染症の病原体で汚染された機器・器材・環境の消毒も必須である。なお，一類，二類，三類感染症における消毒は，発生した当該の医療施設内で行う。すなわち，一類，二類，三類感染症の病原体で汚染された機器・器材などを当該の医療施設から持ち出してはならない。

　なお，機器・器材の第一選択消毒法は熱（熱水，蒸気）である。熱消毒が行えない場合には，消毒薬での清拭や浸漬で対応する。

　一方，環境の消毒は消毒薬での清拭で対応する。環境の消毒に，消毒薬の燻蒸，噴霧および散布を行う方法は曝露毒性や効果不十分などの観点から勧められない。

表20　一類，二類，三類感染症の消毒法概要

		消毒のポイント	消毒法
一類感染症	エボラ出血熱 マールブルグ病 クリミア・コンゴ出血熱 ラッサ熱 南米出血熱	厳重な消毒が必要である。患者の血液・分泌物・排泄物，およびこれらが付着した可能性のある箇所を消毒する	・80℃・10分間の熱水 ・抗ウイルス作用の強い消毒薬 　0.05〜0.5%（500〜5,000 ppm）次亜塩素酸ナトリウムで清拭*，または30分間浸漬 　アルコール（消毒用エタノール，70%イソプロパノール）で清拭，または30分間浸漬 　2〜3%グルタラールに30分間浸漬**,***
	ペスト	肺ペストは飛沫感染であるが，患者が用いた物品や患者環境の消毒を行う	・80℃・10分間の熱水 ・消毒薬 　0.1%第四級アンモニウム塩（ベンザルコニウム塩化物など）や両性界面活性剤に30分間浸漬 　0.2%第四級アンモニウム塩（ベンザルコニウム塩化物など）や両性界面活性剤で清拭 　0.01〜0.1%（100〜1,000 ppm）次亜塩素酸ナトリウムに30〜60分間浸漬 　アルコールで清拭
	痘そう（天然痘）	厳重な消毒が必要である。患者環境の消毒を行う	エボラ出血熱と同様

二類感染症	結　核	主な感染経路は空気であるが，患者が用いた物品や患者環境の消毒を行う	エボラ出血熱と同様
	鳥インフルエンザ（H5N1，H7N9）	主な感染経路は飛沫であるが，患者が用いた物品や患者環境の消毒を行う	
	重症急性呼吸器症候群（SARS）		
	中東呼吸症候群（MERS）		
	急性灰白髄炎（ポリオ）	患者の糞便で汚染された可能性のある箇所を消毒する	
	ジフテリア	皮膚ジフテリアなどを除き飛沫感染であるが，患者が用いた物品や患者環境を消毒する	ペストと同様
三類感染症	コレラ	患者の糞便で汚染された可能性のある箇所を消毒する	ペストと同様
	細菌性赤痢		
	腸管出血性大腸菌感染症		
	腸チフス パラチフス	患者の糞便・尿・血液で汚染された可能性のある箇所を消毒する	

*　エボラ出血熱などの一類感染症や，ポリオウイルスやヒトパピローマウイルスなどの消毒薬抵抗性が強いウイルスに対しては0.5％（5,000 ppm）液を用いる。なお，血液などの汚染に対しては，ジクロルイソシアヌール酸ナトリウム顆粒も有効である
**　グルタラールに代わる方法として，0.55％フタラールへ30分間浸漬や，0.3％過酢酸へ10分間浸漬があげられる
***濃度表示はアルコール系はvol（v/v）％，その他ではw/v％

I 一類感染症

1 エボラ出血熱（エボラウイルス病）

1976 年に，スーダンとコンゴ民主共和国（旧ザイール）で確認されたウイルス性出血熱の一種で，高熱と出血傾向などを主症状とする急性感染症である。

1) 感染経路[1-6]

エボラウイルスの自然宿主はオオコウモリ科のフルーツコウモリと考えられており，チンパンジー，サル，ゴリラなどの霊長類に伝染する。ただし，ヒトがどのような感染経路で感染するか完全に解明されているわけではない[6]。感染したヒトの血液，尿，糞便，母乳，羊水，精液などにウイルスが含まれ感染性がある。また，これらの体液で汚染された物品（注射器・医療機器・衣類・シーツなど）と接触することで感染する。

2) 患者への対応

原則として入院。第一種感染症指定医療機関（各都道府県に原則的に 1 ヵ所）への入院を勧告する。

3) 患者環境および観血的処置時の対策

血液や体液などに起因する汚染拡散に留意する。そのためにはできるかぎりシングルユースの製品で対応する。

鋭利な器材類は耐貫通性の容器へ廃棄する。また，その他のシングルユースの汚染物はプラスチック袋で二重に密閉し，外袋を消毒した後に運搬し，高温焼却する。再使用器械・器材類は，密閉用容器（回収用コンテナなど）に密閉して，容器の外側を消毒した後に運搬し，適切に消毒または滅菌処理する。

針刺し切創に注意し，血液飛沫を受けないような防御を行って臨む。

4) 医療従事者への注意[1-5]

エボラウイルスはエンベロープをもつウイルスであり，消毒薬抵抗性は高くない。しかし，エボラ出血熱の致死率は 39.5％と高いことから，厳重な消毒が必要である。また，消毒の際は N95 微粒子用マスク，ゴーグル，手袋，ガウンおよびシューカバーなどを着用する。

消毒後の物品に対しては，可能であれば高圧蒸気滅菌を行う。なお，患者病室から物品を運び出す際には，物品を納めたプラスチック袋などの消毒も必要となる。二重にしたプラスチック袋の外側を 0.05 〜 0.1％（500 〜 1,000 ppm）次亜塩素酸ナトリウムで清拭する。

5) 汚染物の消毒[1-19] （表 21）

（1）対　象
①患者の血液，分泌物および排泄物
②患者が使用した物品や病室

（2）消　毒（消毒薬の商品名の詳細については p.165「消毒薬一覧」参照，以下同様）
患者の体液や排泄物などの消毒には，次亜塩素酸ナトリウムやアルコール（消毒用エタノール，

70％イソプロパノールなど）を用いる。

また，鋼製小物やリネンなどの消毒には，熱水（80℃・10分間など）がもっとも適している。

表21　エボラウイルスの消毒例

床などへ付着した血液	・0.5%（5,000 ppm）次亜塩素酸ナトリウムをしみ込ませたガーゼなどで拭き取る ・ジクロルイソシアヌール酸ナトリウム顆粒をふりかけて，5分間以上放置後に処理する
尿 糞　便	・使い捨てトイレを使用→焼却 ・排便・排尿後に，水洗トイレ槽へ次亜塩素酸ナトリウムを添加（最終濃度0.2～0.5%）[*1]して，5分間以上放置後に流す[*2]
ベッドパン（便器）	・ベッドパンウォッシャー[*3]（90℃・1分間など） ・洗浄後に，0.05～0.5%（500～5,000 ppm）次亜塩素酸ナトリウムへ30分間浸漬
洋式トイレの便座 フラッシュバルブ 水道の蛇口，ドアノブ	・アルコールで清拭
床頭台 オーバーテーブル	・0.05～0.5%（500～5,000 ppm）次亜塩素酸ナトリウムで清拭 ・アルコールで清拭
床	・0.05～0.5%（500～5,000 ppm）次亜塩素酸ナトリウムで清拭
鋼製小物	・ウォッシャーディスインフェクタ[*4]（93℃・10分間など） ・2～3%グルタラールや0.55%フタラールへ30分間浸漬[*5] ・0.3%過酢酸へ10分間浸漬[*6]
リネン	・焼却 ・熱水洗濯（80℃・10分間など） ・0.05～0.1%（500～1,000 ppm）次亜塩素酸ナトリウムへ30分間浸漬

[*1]　例えば5～6%製品であれば，その原液100 mLを水洗トイレ槽へ注ぐ
[*2]　建築設備的に消毒槽が設置されている場合は，その使用基準に従う（他の一類感染症においても同様）
[*3]　「洗浄→蒸気消毒」の工程が自動的に行える装置
[*4]　「洗浄→熱水消毒」の工程が自動的に行える装置
[*5]　濃度表示はアルコール系はvol（v/v）%，その他ではw/v%
[*6]　金属腐食性の視点から10分間を超える浸漬は行わない

2 マールブルグ病

エボラ出血熱と同様に，ウイルス性出血熱の一種である。

1) 感染経路 [1, 2, 20, 21]

マールブルグウイルスの自然宿主は，洞窟に住むエジプトルーセットコウモリと考えられており，サバンナモンキーやヒトに感染する。ただし，ヒトがどのような感染経路で感染しているかなど完全に解明しているわけではない[21]。感染者の血液，唾液，汗，尿，糞便，母乳などを介してヒト–ヒト感染を起こす。また，これらの体液が付着した物品からも感染する。
- ①患者血液の針刺し
- ②患者の血液，尿，糞便，嘔吐物および分泌物などへの接触
- ③患者との濃厚接触

2) 患者への対応

原則として入院。第一種感染症指定医療機関（各都道府県に原則的に1ヵ所）への入院を勧告する。

3) 患者環境および観血的処置時の対策

血液や体液などに起因する汚染拡散に留意する。そのためにはできるかぎりシングルユースの製品で対応する。

鋭利な器材類は耐貫通性の容器へ廃棄する。また，その他のシングルユースの汚染物はプラスチック袋で二重に密閉し，外袋を消毒した後に運搬し，高温焼却する。再使用器械・器材類は，密閉用容器（回収用コンテナなど）に密閉して，容器の外側を消毒した後に運搬し，適切に消毒または滅菌処理する。

針刺し切創に注意し，血液飛沫を受けないような防御を行って臨む。

4) 医療従事者への注意 [1, 2, 5]

マールブルグウイルスはエンベロープをもつウイルスであり，消毒薬抵抗性は高くない。しかし，マールブルグ病の致死率は24～88％と高いので，厳重な消毒が必要である。

また，消毒の際はN95微粒子用マスク，ゴーグル，手袋，ガウンおよびシューカバーなどを着用する。

消毒後の物品に対しては，可能であれば高圧蒸気滅菌を行う。なお，患者病室から物品を運び出す際には，物品を収めたプラスチック袋などの消毒も必要となる。二重にしたプラスチック袋の外側を0.05～0.1％（500～1,000 ppm）次亜塩素酸ナトリウムで清拭する。

5) 汚染物の消毒 [1-12, 20, 22] (表22)

（1）対　象
- ①患者の血液，分泌物および排泄物
- ②患者が使用した物品や病室

（2）消　毒

患者の体液や排泄物などの消毒には，次亜塩素酸ナトリウムやアルコール（消毒用エタノール，70％イソプロパノールなど）を用いる。

また，鋼製小物やリネンなどの消毒には，熱水（80℃・10分間など）がもっとも適している。

表22 マールブルグウイルスの消毒例

床などへ付着した血液	・0.5％（5,000 ppm）次亜塩素酸ナトリウムをしみ込ませたガーゼなどで拭き取る ・ジクロルイソシアヌール酸ナトリウム顆粒をふりかけて，5分間以上放置後に処理する
尿 糞　便	・使い捨てトイレを使用→焼却 ・排便・排尿後に，水洗トイレ槽へ次亜塩素酸ナトリウムを添加（最終濃度0.2〜0.5％）[*1]して，5分間以上放置後に流す
ベッドパン（便器）	・ベッドパンウォッシャー（90℃・1分間など） ・洗浄後に，0.05〜0.5％（500〜5,000 ppm）次亜塩素酸ナトリウムへ30分間浸漬
洋式トイレの便座 フラッシュバルブ 水道の蛇口，ドアノブ	・アルコールで清拭
床頭台 オーバーテーブル	・0.05〜0.5％（500〜5,000 ppm）次亜塩素酸ナトリウムで清拭 ・アルコールで清拭
床	・0.05〜0.5％（500〜5,000 ppm）次亜塩素酸ナトリウムで清拭
鋼製小物	・ウォッシャーディスインフェクタ（93℃・10分間など） ・2〜3％グルタラールや0.55％フタラールへ30分間浸漬[*2] ・0.3％過酢酸へ10分間浸漬[*3]
リネン	・焼却 ・熱水洗濯（80℃・10分間など） ・0.05〜0.1％（500〜1,000 ppm）次亜塩素酸ナトリウムへ30分間浸漬

[*1] 例えば5〜6％製品であれば，その原液100 mLを水洗トイレ槽へ注ぐ
[*2] 濃度表示はアルコール系はvol（v/v）％，その他ではw/v％
[*3] 金属腐食性の視点から10分間を超える浸漬は行わない

3 クリミア・コンゴ出血熱

ウイルス性出血熱の一種で,アフリカ・東欧・中近東・中央アジア・インド・中国北西部の地方病である。

1) 感染経路 [1, 2, 23, 24]

クリミア・コンゴウイルスの保有動物は,畜牛,ヒツジ,ヤギ,ラクダ,ウマ,ロバ,ブタ,サイ,キリンなどでマダニによって媒介される[24]。感染者の血液,分泌物,臓器などと接触することでヒト-ヒト感染が起こる。また,体液に汚染された注射器や医療機器との接触でも感染する。

2) 患者への対応

原則として入院。第一種感染症指定医療機関(各都道府県に原則的に1ヵ所)への入院を勧告する。

3) 患者環境および観血的処置時の対策

血液や体液などに起因する汚染拡散に留意する。そのためにはできるかぎりシングルユースの製品で対応する。

鋭利な器材類は耐貫通性の容器へ廃棄する。また,その他のシングルユースの汚染物はプラスチック袋で二重に密閉し,外袋を消毒した後に運搬し,高温焼却する。再使用器械・器材類は,密閉用容器(回収用コンテナなど)に密閉して,容器の外側を消毒した後に運搬し,適切に消毒または滅菌処理する。

針刺し切創に注意し,血液飛沫を受けないような防御を行って臨む。

4) 医療従事者への注意 [1, 2, 23-27]

クリミア・コンゴウイルスはエンベロープをもつウイルスであり,消毒薬抵抗性は高くない。しかし,クリミア・コンゴ出血熱で入院した患者の致死率は4〜36%と高いことから,厳重な消毒が必要である。また,消毒の際はN95微粒子用マスク,ゴーグル,手袋,ガウンおよびシューカバーなどを着用する。

消毒後の物品に対しては,可能であれば高圧蒸気滅菌を行う。なお,患者病室から物品を運び出す際には,物品を収めたプラスチック袋などの消毒も必要となる。二重にしたプラスチック袋の外側を0.05〜0.1%(500〜1,000 ppm)次亜塩素酸ナトリウムで清拭する。

5) 汚染物の消毒 [1, 2, 7-13, 20, 23-29] (表23)

(1) 対 象
①患者の血液,分泌物および排泄物
②患者が使用した物品や病室

(2) 消 毒

患者の体液や排泄物などの消毒には,次亜塩素酸ナトリウムやアルコール(消毒用エタノール,70%イソプロパノールなど)を用いる。

また,鋼製小物やリネンなどの消毒には,熱水(80℃・10分間など)がもっとも適している。

表23　クリミア・コンゴウイルスの消毒例

床などへ付着した血液	・0.5%（5,000 ppm）次亜塩素酸ナトリウムをしみ込ませたガーゼなどで拭き取る ・ジクロルイソシアヌール酸ナトリウム顆粒をふりかけて，5分間以上放置後に処理する
尿 糞　便	・使い捨てトイレを使用→焼却 ・排便・排尿後に，水洗トイレ槽へ次亜塩素酸ナトリウムを添加（最終濃度0.2〜0.5%）[*1]して，5分間以上放置後に流す
ベッドパン（便器）	・ベッドパンウォッシャー（90℃・1分間など） ・洗浄後に，0.05〜0.5%（500〜5,000 ppm）次亜塩素酸ナトリウムへ30分間浸漬
洋式トイレの便座 フラッシュバルブ 水道の蛇口，ドアノブ	・アルコールで清拭
床頭台 オーバーテーブル	・0.05〜0.5%（500〜5,000 ppm）次亜塩素酸ナトリウムで清拭 ・アルコールで清拭
床	・0.05〜0.5%（500〜5,000 ppm）次亜塩素酸ナトリウムで清拭
鋼製小物	・ウォッシャーディスインフェクタ（93℃・10分間など） ・2〜3%グルタラールや0.55%フタラールへ30分間浸漬[*2] ・0.3%過酢酸へ10分間浸漬[*3]
リネン	・焼却 ・熱水洗濯（80℃・10分間など） ・0.05〜0.1%（500〜1,000 ppm）次亜塩素酸ナトリウムへ30分間浸漬

[*1] 例えば5〜6%製品であれば，その原液100 mLを水洗トイレ槽へ注ぐ
[*2] 濃度表示はアルコール系はvol（v/v）%，その他ではw/v%
[*3] 金属腐食性の視点から10分間を超える浸漬は行わない

4 ラッサ熱

1969年にナイジェリアで確認されたウイルス性出血熱の一種で，西アフリカの地方病である。

1）感染経路 [1, 2, 30-32]

自然宿主は，げっ歯類であるマストミス（*Mastomys natalensis*）である。マストミスの排泄物で汚染された水や食物を摂取することで感染する。また，汚染物質の取扱い中にウイルスが擦過創から侵入あるいはマストミスの尿がエアロゾル化し，それを吸い込むなどで感染する可能性がある。ヒト-ヒト感染も成立し，家庭や医療機関で伝播する。感染者の血液，尿，糞便などの体液にウイルスが含まれており標準予防策が必要である。

2）患者への対応

原則として入院。第一種感染症指定医療機関（各都道府県に原則的に1ヵ所）への入院を勧告する。

3）患者環境および観血的処置時の対策

血液や体液などに起因する汚染拡散に留意する。そのためにはできるかぎりシングルユースの製品で対応する。

鋭利な器材類は耐貫通性の容器へ廃棄する。また，その他のシングルユースの汚染物はプラスチック袋で二重に密閉し，外袋を消毒した後に運搬し，高温焼却する。再使用器械・器材類は，密閉用容器（回収用コンテナなど）に密閉して，容器の外側を消毒した後に運搬し，適切に消毒または滅菌処理する。

針刺し切創に注意し，血液飛沫を受けないような防御を行って臨む。

4）医療従事者への注意 [1, 2, 30, 33-35]

ラッサウイルスはエンベロープをもつウイルスであり，消毒薬抵抗性は高くない。また，ラッサウイルス感染者のおおよそ80％は症状が軽いか無い。しかし，症状が重く入院したラッサ熱患者の致死率は15～20％と高く，また患者から医療従事者への感染が生じやすいことから，厳重な消毒が必要である。

また，消毒の際はN95微粒子用マスク，ゴーグル，手袋，ガウンおよびシューカバーなどを着用して行う。

消毒後の物品に対しては，可能であれば高圧蒸気滅菌を行う。なお，患者病室から物品を運び出す際には，物品を収めたプラスチック袋などの消毒も必要となる。二重にしたプラスチック袋の外側を0.05～0.1％（500～1,000 ppm）次亜塩素酸ナトリウムで清拭する。

5）汚染物の消毒 [1, 2, 7-12, 28, 33, 36, 37] (表24)

（1）対　象
①患者の血液，分泌物および排泄物
②患者が使用した物品や病室

（2）消　毒

患者の体液や排泄物などの消毒には，次亜塩素酸ナトリウムやアルコール（消毒用エタノール，70％イソプロパノールなど）を用いる。

また，鋼製小物やリネンなどの消毒には，熱水（80℃・10分間など）がもっとも適している。

表24　ラッサウイルスの消毒例

床などへ付着した血液	・0.5％（5,000 ppm）次亜塩素酸ナトリウムをしみ込ませたガーゼなどで拭き取る ・ジクロルイソシアヌール酸ナトリウム顆粒をふりかけて，5分間以上放置後に処理する
尿 糞　便	・使い捨てトイレを使用→焼却 ・排便・排尿後に，水洗トイレ槽へ次亜塩素酸ナトリウムを添加（最終濃度0.2～0.5％）[*1]して，5分間以上放置後に流す
ベッドパン（便器）	・ベッドパンウォッシャー（90℃・1分間など） ・洗浄後に，0.05～0.5％（500～5,000 ppm）次亜塩素酸ナトリウムへ30分間浸漬
洋式トイレの便座 フラッシュバルブ 水道の蛇口，ドアノブ	・アルコールで清拭
床頭台 オーバーテーブル	・0.05～0.5％（500～5,000 ppm）次亜塩素酸ナトリウムで清拭 ・アルコールで清拭
床	・0.05～0.5％（500～5,000 ppm）次亜塩素酸ナトリウムで清拭
鋼製小物	・ウォッシャーディスインフェクタ（93℃・10分間など） ・2～3％グルタラールや0.55％フタラールへ30分間浸漬[*2] ・0.3％過酢酸へ10分間浸漬[*3]
リネン	・焼却 ・熱水洗濯（80℃・10分間など） ・0.05～0.1％（500～1,000 ppm）次亜塩素酸ナトリウムへ30分間浸漬

[*1]　例えば5～6％製品であれば，その原液100 mLを水洗トイレ槽へ注ぐ
[*2]　濃度表示はアルコール系はvol（v/v）％，その他ではw/v％
[*3]　金属腐食性の視点から10分間を超える浸漬は行わない

5 南米出血熱

南米出血熱とは，アルゼンチン出血熱（フニンウイルス），ボリビア出血熱（マチュポウイルス），ベネズエラ出血熱（グアナリトウイルス）およびブラジル出血熱（サビアウイルス）の総称である。

1）感染経路[1, 2, 38]

南米出血熱は，流行地に生息するげっ歯類（ネズミ科アメリカネズミ亜科のヨルマウス）の唾液や排泄物への接触，これらの排泄物で汚染された粉塵の吸入，および患者との接触などにより感染する。

2）患者への対応

原則として入院。第一種感染症指定医療機関（各都道府県に原則的に1ヵ所）への入院を勧告する。

3）患者環境および観血的処置時の対策

血液や体液などに起因する汚染拡散に留意する。そのためにはできるかぎりシングルユースの製品で対応する。

鋭利な器材類は耐貫通性の容器へ廃棄する。また，その他のシングルユースの汚染物はプラスチック袋で二重に密閉し，外袋を消毒した後に運搬し，高温焼却する。再使用器械・器材類は，密閉用容器（回収用コンテナなど）に密閉して，容器の外側を消毒した後に運搬し，適切に消毒または滅菌処理する。

4）医療従事者への注意[1, 2, 38-40]

南米出血熱の原因ウイルス（アレナウイルス）はエンベロープをもつウイルスであり，消毒薬抵抗性は高くない。しかし，南米出血熱の致死率は53.1％との報告もあり，厳重な消毒が必要である。また，消毒の際はN95微粒子用マスク，ゴーグル，手袋，ガウンおよびシューカバーなどを着用する。

消毒後の物品に対しては，可能であれば高圧蒸気滅菌を行う。なお，患者病室から物品を運び出す際には，物品を納めたプラスチック袋などの消毒も必要となる。二重にしたプラスチック袋の外側を0.05〜0.1％（500〜1,000 ppm）次亜塩素酸ナトリウムで清拭する。

5）汚染物の消毒[1, 2, 7-12, 38]（表25）

（1）対　象
①患者の血液，分泌物および排泄物
②患者が使用した物品や病室

（2）消　毒

患者の体液や排泄物などの消毒には，次亜塩素酸ナトリウムやアルコール（消毒用エタノール，70％イソプロパノールなど）を用いる。

また，鋼製小物やリネンなどの消毒には，熱水（80℃・10分間など）がもっとも適している。

表 25　南米出血熱の原因ウイルスの消毒例

床などへ付着した血液	・0.5%（5,000 ppm）次亜塩素酸ナトリウムをしみ込ませたガーゼなどで拭き取る ・ジクロルイソシアヌール酸ナトリウム顆粒をふりかけて，5分間以上放置後に処理する
尿 糞　便	・使い捨てトイレを使用→焼却 ・排便・排尿後に，水洗トイレ槽へ次亜塩素酸ナトリウムを添加（最終濃度 0.2～0.5%）[*1]して，5分間以上放置後に流す
ベッドパン（便器）	・ベッドパンウォッシャー（90℃・1分間など） ・洗浄後に，0.05～0.5%（500～5,000 ppm）次亜塩素酸ナトリウムへ30分間浸漬
洋式トイレの便座 フラッシュバルブ 水道の蛇口，ドアノブ	・アルコールで清拭
床頭台 オーバーテーブル	・0.05～0.5%（500～5,000 ppm）次亜塩素酸ナトリウムで清拭 ・アルコールで清拭
床	・0.05～0.5%（500～5,000 ppm）次亜塩素酸ナトリウムで清拭
鋼製小物	・ウォッシャーディスインフェクタ（93℃・10分間など） ・2～3%グルタラールや 0.55%フタラールへ 30 分間浸漬[*2] ・0.3%過酢酸へ 10 分間浸漬[*3]
リネン	・焼却 ・熱水洗濯（80℃・10分間など） ・0.05～0.1%（500～1,000 ppm）次亜塩素酸ナトリウムへ 30 分間浸漬

[*1] 例えば 5～6%製品であれば，その原液 100 mL を水洗トイレ槽へ注ぐ
[*2] 濃度表示はアルコール系は vol（v/v）％，その他では w/v％
[*3] 金属腐食性の視点から 10 分間を超える浸漬は行わない

6 ペスト

リンパ節腫脹や高熱などを主症状とする急性細菌感染症である。腺ペストと肺ペストの2型に分類される[41, 42]。

1) 感染経路[43-45]

海外においては自然界のリス，ウサギ，コヨーテ，ヤギ，モルモットなどが中間宿主となっている。ノミ（wild flea）がペスト菌（*Yersinia pestis*）を動物集団に伝播している。これらの動物の不十分な調理や皮剝ぎ行為でヒトに感染する。都市部における過去の流行で重要なのはネズミとそれに寄生しているノミ（ネズミノミ）からの感染である。ヒトに感染すると，肺ペスト，腺ペスト，敗血症ペストなどの病型（常に独立しているわけではない）をとる。肺ペストは，飛沫感染によるヒト-ヒト感染を起こす。腺ペストや敗血症ペストではヒト-ヒト感染する可能性は低いが，リンパ節の穿刺によるエアロゾルの発生や針刺しにより起こり得る。また，ノミ（ヒトノミ）やシラミ（アタマジラミ，コロモジラミ）が介在すればヒト-ヒト感染し得る。

2) 患者への対応

原則として入院。第一種感染症指定医療機関（各都道府県に原則的に1ヵ所）への入院を勧告する。

3) 患者環境および観血的処置時の対策

気道分泌物などに起因する汚染拡散に留意する。そのためにはできるかぎりシングルユースの製品で対応する。

シングルユースの汚染物はプラスチック袋で二重に密閉し，外袋を消毒した後に運搬し，高温焼却する。再使用器械・器材類は，密閉用容器（回収用コンテナなど）に密閉して，容器の外側を消毒した後に運搬し，適切に消毒または滅菌処理する。

針刺し切創に注意し，血液飛沫を受けないような防御を行って臨む。

4) 医療従事者への注意

肺ペストは飛沫で伝播する。したがって，肺ペストの伝播防止には医療用マスクの着用が重要である。

5) 汚染物の消毒[9-12]（表26）

(1) 対　象

肺ペストは飛沫感染ではあるが，肺ペスト患者が用いた物品や病室の消毒を行う。

また，患者の喀痰は焼却処分とする。

(2) 消　毒

ペスト菌に対しては，すべての消毒薬が有効である。第四級アンモニウム塩，両性界面活性剤およびアルコール（消毒用エタノール，70％イソプロパノールなど）等を用いる。

また，80℃・10分間の熱水も有効である（70℃・1分間や80℃・10秒間などの熱水でも有効と推定されるが，安全を見込んで80℃・10分間とする）。

表26　ペスト菌の消毒例

床	・0.2％第四級アンモニウム塩（ベンザルコニウム塩化物など）や両性界面活性剤で清拭
床頭台 オーバーテーブル 洗面台	・0.2％第四級アンモニウム塩（ベンザルコニウム塩化物など）や両性界面活性剤で清拭 ・アルコールで清拭
超音波ネブライザーの蛇管や薬液カップ	・0.01～0.02％（100～200 ppm）次亜塩素酸ナトリウムへ1時間浸漬
リネン	・熱水洗濯（80℃・10分間など） ・0.02～0.1％（200～1,000 ppm）次亜塩素酸ナトリウムへ30分間浸漬 ・0.1％第四級アンモニウム塩（ベンザルコニウム塩化物など）や両性界面活性剤へ30分間浸漬

肺ペストは飛沫で伝播する

7 痘そう（天然痘）

　1980年にWorld Health Organization（WHO）が痘そうの世界根絶宣言を行っており，現在，痘そうウイルス（ポックスウイルス科オルトポックスウイルス）は自然界には存在しないが，研究目的で米国疾病予防管理センター（Centers for Disease Control and Prevention；CDC）とモスクワの研究所に保管された。モスクワ株は旧ソ連の崩壊時，それらがノボシビルスク近郊の軍事基地に移され，封印が解かれ研究が開始された経緯がある。米国疾病予防管理センターが痘そうを，とくに危険性が高く最優先して対策を立てる必要がある「カテゴリーA」の生物兵器として位置づけるなど，生物テロによる被害の発生が懸念されている。

1）感染経路 [10-12, 46-56]

　主な感染経路は，飛沫感染である。また，皮膚病変にもウイルスが存在し接触感染によっても感染する。ウイルスは低温，乾燥に強く，シーツ，衣類などからも感染し得る。

2）患者への対応

　第一種感染症指定医療機関，その他都道府県知事が適当と認める医療機関への入院を勧告する。

3）患者環境および観血的処置時の対策

　血液や体液および患者気道分泌物，呼気に起因する汚染拡散に留意する。そのためにはできるかぎりシングルユースの製品で対応する。
　鋭利な器材類は耐貫通性の容器へ廃棄する。また，その他のシングルユースの汚染物はプラスチック袋で二重に密閉し，外袋を消毒した後に運搬し，焼却する。再使用器械・器材類は，密閉用容器（回収用コンテナなど）に密閉して，容器の外側を消毒した後に運搬し，適切に消毒または滅菌処理する。
　針刺し切創に注意し，血液飛沫を受けないような防御を行って臨む。

4）医療従事者への注意 [10-12, 46-48]

　痘そうウイルスはエンベロープをもつウイルスであり，消毒薬抵抗性は高くない。しかし，本ウイルスは落屑中で年余にわたり生存でき，また痘そうの致死率は50％にも及ぶことから，厳重な消毒が必要である。また，落屑・痂皮はすべて集め，滅菌する。
　消毒は，過去3年以内に予防接種を受けたスタッフが，N95微粒子用マスク，ゴーグル，手袋，ガウン，シューカバー，キャップを含む防護服を着用して実施する。なお，予防接種のためのワクチンが各都道府県に配布されている。
　消毒後の物品に対しては，可能であれば高圧蒸気滅菌を行う。なお，患者病室から物品を運び出す際には，物品を収めたプラスチック袋などの消毒も必要となる。二重にしたプラスチック袋の外側は0.05～0.1％（500～1,000 ppm）次亜塩素酸ナトリウムで清拭する。

5）汚染物の消毒 [10-12, 46-48] （表27）

（1）対　象

　患者が使用した物品や病室が消毒，滅菌の対象になる。とくに，唾液，気道分泌物，痘疱内容，落屑などが付着した可能性のある物品（枕やシーツなど）に対する消毒や滅菌が重要である。なお，落屑の飛散防止のため，物品などの取り扱い時にはチリやホコリが舞い上がらないように注意を払う。

(2) 消　毒

患者の体液や排泄物などの消毒には，次亜塩素酸ナトリウムやアルコール（消毒用エタノール，70%イソプロパノールなど）を用いる。

また，鋼製小物やリネンなどの消毒には，熱水（80℃・10分間など）がもっとも適している。

表27　痘そうウイルスの消毒例

床などへ付着した血液	・0.5%（5,000 ppm）次亜塩素酸ナトリウムをしみ込ませたガーゼなどで拭き取る ・ジクロルイソシアヌール酸ナトリウム顆粒をふりかけて，5分間以上放置後に処理する
尿 糞　便	・使い捨てトイレを使用→焼却 ・排便・排尿後に，水洗トイレ槽へ次亜塩素酸ナトリウムを添加（最終濃度0.2〜0.5%）[*1]して，5分間以上放置後に流す
ベッドパン（便器）	・ベッドパンウォッシャー（90℃・1分間など） ・洗浄後に，0.05〜0.5%（500〜5,000 ppm）次亜塩素酸ナトリウムへ30分間浸漬
洋式トイレの便座 フラッシュバルブ 水道の蛇口，ドアノブ	・アルコールで清拭
床頭台 オーバーテーブル	・0.05〜0.5%（500〜5,000 ppm）次亜塩素酸ナトリウムで清拭 ・アルコールで清拭
床	・0.05〜0.5%（500〜5,000 ppm）次亜塩素酸ナトリウムで清拭
鋼製小物	・ウォッシャーディスインフェクタ（93℃・10分間など） ・2〜3%グルタラールや0.55%フタラールへ30分間浸漬[*2] ・0.3%過酢酸へ10分間浸漬[*3]
リネン	・焼却 ・熱水洗濯（80℃・10分間など） ・0.05〜0.1%（500〜1,000 ppm）次亜塩素酸ナトリウムへ30分間浸漬

[*1] 例えば5〜6%製品であれば，その原液100 mLを水洗トイレ槽へ注ぐ
[*2] 濃度表示はアルコール系はvol（v/v）%，その他ではw/v%
[*3] 金属腐食性の視点から10分間を超える浸漬は行わない

Ⅱ 二類感染症

1 結 核

2021年に結核の罹患率（人口10万対）は，9.2となり低まん延国となった。2023年の罹患率は8.1，新登録結核患者数は10,096人，結核による死亡数は1,587人，喀痰塗抹陽性肺結核の患者数は3,524人であった[57]。

1）感染経路 [42, 46, 58]

排菌のある肺結核患者からの飛沫あるいは飛沫核を吸い込むことによって感染する。よって，患者は陰圧室にて管理する。診断前に気管支鏡検査，呼吸機能検査，吸入などを行うと感染リスクが高まる。常に結核を疑い，治療後に排菌がなくなってから必要な検査を行う。

2）患者への対応

周囲への感染の危険性がある場合には，入院を勧告する。

3）患者環境の対策

陰圧に保たれた個室などへの入室が勧められる。また，患者搬送時などには，患者に医療用マスクを着用させる。

4）医療従事者への注意

N95微粒子用マスクを着用する。

5）汚染物の消毒 [59-67]（表28）

（1）対 象
①患者の喀痰などの分泌物
②患者が使用した物品や病室

（2）消 毒

喀痰は焼却処分とする。患者の体液や排泄物などの消毒には次亜塩素酸ナトリウムやアルコール（消毒用エタノール，70％イソプロパノールなど）を用いる。0.5％両性界面活性剤も時間をかければ有効である。

また，鋼製小物やリネンなどの消毒には，熱水（80℃・10分間など）がもっとも適している。

表 28　結核菌の消毒例

内視鏡	・2〜3%グルタラールや 0.55%フタラールへ 10 分間浸漬* ・0.3%過酢酸へ 5 分間浸漬
呼吸器関連の器材	・ウォッシャーディスインフェクタ（80℃・3 分間など） ・0.01〜0.02%（100〜200 ppm）次亜塩素酸ナトリウムへ 30〜60 分間浸漬
床頭台 オーバーテーブル	・アルコールで清拭 ・0.5%両性界面活性剤で清拭
洋式トイレの便座 フラッシュバルブ 水道の蛇口，ドアノブ	・アルコールで清拭
床	・0.5%両性界面活性剤で清拭
リネン	・熱水洗濯（80℃・10 分間など） ・0.05〜0.1%（500〜1,000 ppm）次亜塩素酸ナトリウムへ 30 分間浸漬
食　器	・熱水（80℃・10 秒間など） ・0.2%両性界面活性剤へ 1 時間浸漬

*濃度表示はアルコール系は vol（v/v）%，その他では w/v%

2 鳥インフルエンザ（H5N1，H7N9）[68-71]

　鳥インフルエンザウイルス（H5N1，H7N9）に感染した家禽（ニワトリ，アヒル，七面鳥，ウズラなど）と濃厚接触することにより感染する。2003〜2024年の間にH5N1に罹患した患者数は904人であり464名が死亡した。また，2013〜2022年の間にH7N9に罹患した患者数は1,568人であり少なくとも616名が死亡した。鳥インフルエンザウイルスのヒトからヒトへの感染はまれであるが，このように致死率は高い。鳥インフルエンザウイルスの遺伝子に変異が起これば，ヒトからヒトへの感染性が高まることが懸念される。

1) 感染経路[72,73]
　鳥インフルエンザウイルスは，鳥類の中で循環している。感染した鳥（家禽を含む）の排泄物，死体，臓器に接触したヒトに感染することがある。遺伝子変異により効率よくヒト−ヒト感染が起こるようになる可能性があり，その場合は飛沫感染，接触感染，エアロゾル感染，空気感染，が想定される。

2) 患者への対応
　周囲への感染の危険性がある場合には，第二種感染症指定医療機関（各二次医療圏に1ヵ所）などへの入院を勧告する。

3) 患者環境の対策
　陰圧に保たれた個室などへの入室が勧められる。また，患者搬送時などには，患者に医療用マスクを着用させる。

4) 医療従事者への注意[72,74]
　鳥インフルエンザウイルスはエンベロープをもつウイルスであり，消毒薬抵抗性は高くない。しかし，鳥インフルエンザの致死率は60％以上と高いことから，厳重な消毒が必要である。消毒の実施は，N95微粒子用マスク，ゴーグル，手袋，ガウン，シューカバー，キャップを含む防護服を着用して行う。

5) 汚染物の消毒[72,75-77]（表29）
　（1）対　象
　　①患者の喀痰などの分泌物
　　②患者が使用した物品や病室
　（2）消　毒
　喀痰は焼却処分とする。患者の体液や排泄物などの消毒には次亜塩素酸ナトリウムやアルコール（消毒用エタノール，70％イソプロパノールなど）を用いる。
　また，鋼製小物やリネンなどの消毒には，熱水（80℃・10分間など）がもっとも適している。

表29 鳥インフルエンザウイルスの消毒例

床頭台 オーバーテーブル	・アルコールで清拭 ・0.05～0.1％（500～1,000 ppm）次亜塩素酸ナトリウムで清拭
床	・0.05～0.1％（500～1,000 ppm）次亜塩素酸ナトリウムで清拭 ・0.2％両性界面活性剤で清拭
呼吸器関連の器材	・ウォッシャーディスインフェクタ（80℃・3分間など） ・0.01～0.02％（100～200 ppm）次亜塩素酸ナトリウムへ30～60分間浸漬
鋼製小物	・ウォッシャーディスインフェクタ（93℃・10分間など） ・2～3％グルタラールや0.55％フタラールへ10分間浸漬[*1] ・0.3％過酢酸へ5分間浸漬[*2]
リネン	・熱水洗濯（80℃・10分間など） ・0.05～0.1％（500～1,000 ppm）次亜塩素酸ナトリウムへ30分間浸漬
手　指	・速乾性擦式アルコール製剤
食　器	・熱水（80℃・10秒間など）

[*1] 濃度表示はアルコール系はvol（v/v）％，その他ではw/v％
[*2] 金属腐食性の視点から10分間を超える浸漬は行わない

3 重症急性呼吸器症候群（severe acute respiratory syndrome；SARS）

　コロナウイルス科のSARSコロナウイルスにより発症する。2002年11月に中国広東省で初めての患者が確認され，2004年5月末までに計8,112名の患者が29の国・地域で報告されている。これらの患者のうちの死亡は774名である[78]。

1）感染経路[78-83]

　SARSウイルスの保有動物はコウモリであり，コウモリからヒトに直接感染するか，感染した動物（ハクビシンやタヌキなど）からヒトに感染する経路が考えられている。ヒト-ヒト感染も起こり，感染経路は飛沫感染，接触感染である。ただし，条件が揃えば空気感染も起こり得る。
　①飛沫感染，接触感染によるヒトからヒトへの感染が主
　②接触感染のうちの糞口や，空気感染の可能性なども否定することはできないが，その頻度は低い

2）患者への対応

　周囲への感染の危険性がある場合には，第二種感染症指定医療機関（各二次医療圏に1ヵ所）などへの入院を勧告する。

3）患者環境の対策

　陰圧に保たれた個室などへの入室が勧められる。また，患者搬送時などには，患者に医療用マスクを着用させる。

4）医療従事者への注意

　SARSコロナウイルスはエンベロープをもつウイルスであり，消毒薬抵抗性は高くない。しかし，SARS感染者の21％は医療従事者が占めること，SARSの致死率は9.6％と高いこと，さらに，本ウイルスに関する詳細についてはいまだ明らかにされていないことなどから厳密な消毒が必要である。
　消毒の実施は，N95微粒子用マスク，手袋，ガウン，シューカバー，キャップを含む防護服を着用して行う。

5）汚染物の消毒・滅菌[72, 75, 84-90]（表30）

　（1）対　象
　①患者の喀痰などの分泌物
　②患者が使用した物品や病室
　（2）消　毒
　喀痰は焼却処分とする。患者の体液や排泄物などの消毒には次亜塩素酸ナトリウムやアルコール（消毒用エタノール，70％イソプロパノールなど）を用いる。
　また，鋼製小物やリネンなどの消毒には，熱水（80℃・10分間など）がもっとも適している。

表30 SARSコロナウイルスの消毒例

床頭台 オーバーテーブル	・アルコールで清拭 ・0.05〜0.1%（500〜1,000 ppm）次亜塩素酸ナトリウムで清拭
床	・0.05〜0.1%（500〜1,000 ppm）次亜塩素酸ナトリウムで清拭
呼吸器関連の器材	・ウォッシャーディスインフェクタ（80℃・3分間など） ・0.01〜0.02%（100〜200 ppm）次亜塩素酸ナトリウムへ30〜60分間浸漬
鋼製小物	・ウォッシャーディスインフェクタ（93℃・10分間など） ・2〜3%グルタラールや0.55%フタラールへ10分間浸漬[*1] ・0.3%過酢酸へ5分間浸漬[*2]
リネン	・熱水洗濯（80℃・10分間など） ・0.05〜0.1%（500〜1,000 ppm）次亜塩素酸ナトリウムへ30分間浸漬
手　指	・速乾性擦式アルコール製剤

[*1] 濃度表示はアルコール系はvol（v/v）%，その他ではw/v%
[*2] 金属腐食性の視点から10分間を超える浸漬は行わない

4 中東呼吸器症候群（Middle East respiratory syndrome；MERS）

　コロナウイルス科の MERS コロナウイルスにより発症する。2012年9月から2016年9月までにサウジアラビアを中心に計1,806名の患者が確認され[91]，うち643名（35.6％）が死亡している。2019年現在でもサウジアラビアやオマーンで毎月7～77名の発症がみられている[92]。韓国での院内アウトブレイク事例も報告されており，中東帰りのビジネスマンを感染源として186名の発生があり，うち19％の患者が死亡している[93]。

1）感染経路[91, 93-98]

　MERS ウイルスの起源はコウモリであり，ヒトコブラクダが中間宿主となっている。ヒトコブラクダの唾液，生ミルク，加熱が不十分な肉などからヒトに感染する。ヒト-ヒト感染は，飛沫感染が中心だが状況によりエアロゾル感染も起こすので，院内ではエアロゾル発生手技に注意する。

　MERS ウイルスは，ヒトコブラクダだけでなくアルパカやラマにも感染している証拠がある。

2）患者への対応

　周囲への感染の危険性がある場合には，第一種または第二種感染症指定医療機関（各二次医療圏に1ヵ所）などへの入院を勧告する。

3）患者環境の対策

　陰圧に保たれた個室などへの入室が勧められる。また，患者搬送時などには，患者に医療用マスクを着用させる。

4）医療従事者への注意

　MERS コロナウイルスはエンベロープをもつウイルスであり，消毒薬抵抗性は高くない。しかし，MERS の致死率は35.6％と高いこと，さらに，本ウイルスに関する詳細についてはいまだ明らかにされていないことなどから厳密な消毒が必要である。

　消毒の実施は，N95微粒子用マスク，ゴーグル，手袋，ガウン，シューカバー，キャップを含む防護服を着用して行う。

5）汚染物の消毒・滅菌[72, 75, 84-90, 99-107]（表31）

　（1）対　象
　①患者の喀痰などの分泌物
　②患者が使用した物品や病室

　（2）消　毒
　喀痰は焼却処分とする。患者の体液や排泄物などの消毒には次亜塩素酸ナトリウムやアルコール（消毒用エタノール，70％イソプロパノールなど）を用いる。

　また，鋼製小物やリネンなどの消毒には，熱水（80℃・10分間など）がもっとも適している。

表 31　MERS コロナウイルスの消毒例

床頭台 オーバーテーブル	・アルコールで清拭 ・0.05〜0.1%（500〜1,000 ppm）次亜塩素酸ナトリウムで清拭
床	・0.05〜0.1%（500〜1,000 ppm）次亜塩素酸ナトリウムで清拭
呼吸器関連の器材	・ウォッシャーディスインフェクタ（80℃・3 分間など） ・0.01〜0.02%（100〜200 ppm）次亜塩素酸ナトリウムへ 30〜60 分間浸漬
鋼製小物	・ウォッシャーディスインフェクタ（93℃・10 分間など） ・2〜3%グルタラールや 0.55%フタラールへ 10 分間浸漬[*1] ・0.3%過酢酸へ 5 分間浸漬[*2]
リネン	・熱水洗濯（80℃・10 分間など） ・0.05〜0.1%（500〜1,000 ppm）次亜塩素酸ナトリウムへ 30 分間浸漬
手　指	・速乾性擦式アルコール製剤

[*1]　濃度表示はアルコール系は vol（v/v）%，その他では w/v%
[*2]　金属腐食性の視点から 10 分間を超える浸漬は行わない

5 急性灰白髄炎（ポリオ）

重症例では下肢などの麻痺が生じる中枢神経系感染症である。わが国では，生ワクチン自体に起因する発生がみられていたが，不活化ワクチンへ切替えられたことによりワクチン自体に起因する発生がなくなった。

1) 感染経路 [7, 43, 108-110]

ウイルスが体内に入ると，症状の有無にかかわらず咽頭や小腸でウイルスが増殖し，糞便中に排出される。汚染された手，水，食物などから接触感染（糞口感染）によりヒト-ヒト感染する。弛緩性麻痺が起こるのは感染者の1％以下であるが，その場合は重篤な障害が残る。まれに飛沫感染も起こる。

2) 患者への対応

周囲への感染の危険性がある場合には，第二種感染症指定医療機関（各二次医療圏に1ヵ所）などへの入院を勧告する。

3) 患者環境の対策

糞便，咽頭分泌液，血液などの曝露防止に注意を払う。そのためにはできるかぎりシングルユースの製品で対応する。

4) 医療従事者への注意

ポリオワクチンの予防接種を受けていれば（抗体を保有していれば），急性灰白髄炎に感染する可能性はない。

5) 汚染物の消毒 [9-12, 46-48, 111-114] (表32)

(1) 対　象

主な消毒対象は，患者の糞便で汚染された可能性のある箇所（トイレ，ドアノブ，水道の蛇口，リネン，浴槽など）である。また，患者の咽頭分泌液で汚染された可能性のある箇所（食器など）も消毒する。

(2) 消　毒

環境消毒には次亜塩素酸ナトリウムやアルコール（消毒用エタノール，70％イソプロパノールなど）を用いる。2度拭きを行う。

また，食器やリネンなどの消毒には，熱水（80℃・10分間など）がもっとも適している。

表32　ポリオウイルスの消毒例

ベッドパン （便器）	・ベッドパンウォッシャー（90℃・1分間など） ・洗浄後に0.05〜0.1％（500〜1,000 ppm）次亜塩素酸ナトリウムへ30分間浸漬
洋式トイレの便座 フラッシュバルブ 水道の蛇口，ドアノブ	・アルコールで清拭
床頭台 オーバーテーブル	・0.05〜0.5％（500〜5,000 ppm）次亜塩素酸ナトリウムで清拭 ・アルコールで清拭
床	・0.05〜0.5％（500〜5,000 ppm）次亜塩素酸ナトリウムで清拭
リネン	・熱水洗濯（80℃・10分間など） ・0.05〜0.1％（500〜1,000 ppm）次亜塩素酸ナトリウムへ30分間浸漬
食　器	・熱水（80℃・10秒間など） ・0.05〜0.1％（500〜1,000 ppm）次亜塩素酸ナトリウムへ30分間浸漬
手　指	・速乾性擦式アルコール製剤

急性灰白髄炎（ポリオ）の感染経路は糞口である

6 ジフテリア

ジフテリア菌（*Corynebacterium diphtheriae*）による急性感染症で，偽膜性炎症と毒素による中毒症状を特徴とする。予防接種により患者発生数は激減し，1969（昭和44）年以降では年間10名未満となっている。

1）感染経路 [43, 108, 115]

呼吸器ジフテリアでは，患者の咳，くしゃみなどの飛沫感染によりヒトに伝播する。皮膚ジフテリアでは接触感染である。

2）患者への対応

周囲への感染の危険性がある場合には，第二種感染症指定医療機関（各二次医療圏に1ヵ所）などへの入院を勧告する。

3）患者環境および観血的処置時の対策

飛沫の吸入防止に注意を払う。また感染部位（咽頭，喉頭，鼻，皮膚など）の分泌液の曝露防止にも注意を払う。そのためにはできるかぎりシングルユースの製品で対応する。

4）医療従事者への注意

ジフテリアは主に飛沫で伝播する。したがって，ジフテリアの感染防止には医療用マスクの着用が重要である。

5）汚染物の消毒 [9-12, 46-48, 116, 117] （表33）

（1）対　象

飛沫感染ではあるが，患者が使用した物品や病室の消毒も行う。また，患者の喀痰は焼却処分とする。

（2）消　毒

ジフテリア菌に対しては，すべての消毒薬が有効である。第四級アンモニウム塩（ベンザルコニウム塩化物など），両性界面活性剤，次亜塩素酸ナトリウムおよびアルコール（消毒用エタノール，70％イソプロパノールなど）等を用いる。

また，80℃・10分間の熱水も有効である（70℃・1分間や80℃・10秒間などの熱水でも有効と推定されるが，安全を見込んで80℃・10分間とする）。

表33 ジフテリア菌の消毒例

床	・0.2%第四級アンモニウム塩（ベンザルコニウム塩化物など）や両性界面活性剤で清拭
床頭台 オーバーテーブル 洗面台	・0.2%第四級アンモニウム塩（ベンザルコニウム塩化物など）や両性界面活性剤で清拭 ・アルコールで清拭
超音波ネブライザーの蛇管や薬液カップ	・0.01〜0.02%（100〜200 ppm）次亜塩素酸ナトリウムへ1時間浸漬
リネン	・熱水洗濯（80℃・10分間など） ・0.02〜0.1%（200〜1,000 ppm）次亜塩素酸ナトリウムへ30分間浸漬 ・0.1%第四級アンモニウム塩（ベンザルコニウム塩化物など）や両性界面活性剤へ30分間浸漬

ジフテリアは飛沫で伝播する

III 三類感染症

1 コレラ

　米のとぎ汁様の下痢，嘔吐，脱水などを主症状とする消化器感染症である。輸入感染症であるが，輸入した魚介類（とくに冷凍品）などの摂取による国内感染例もある。古典型（アジア型），エルトール型，O139があり，現在流行しているのはエルトール型である。

1）感染経路 [43, 108, 118]

　コレラ患者または保菌者の便中にコレラ菌（*Vibrio cholerae*）が排泄される。汚染された手，水，食物などによる接触感染（糞口感染）により感染する。コレラ菌は胃酸に弱く，胃切除患者，制酸剤の投与を受けている患者，高齢者は重症化因子である。

2）患者への対応

　状況に応じ入院。また，飲食物に関連した職業への就業制限を行う。

3）患者環境の対策

　糞便，嘔吐物などの曝露防止に注意を払う。そのためにはできるかぎりシングルユースの製品で対応する。

4）医療従事者への注意

　糞口ルートの遮断の観点から，トイレの消毒，手洗いや手指消毒が重要である。

5）汚染物の消毒 [9-12, 46-48, 116, 117]（表34）

（1）対　象

　主な消毒対象は，患者の糞便で汚染された可能性のある箇所（トイレ，ドアノブ，水道の蛇口，リネン，浴槽など）である。

（2）消　毒

　コレラ菌に対しては，すべての消毒薬が有効である。第四級アンモニウム塩（ベンザルコニウム塩化物など），両性界面活性剤，次亜塩素酸ナトリウムおよびアルコール（消毒用エタノール，70％イソプロパノールなど）等を用いる。

　また，80℃・10分間の熱水も有効である（70℃・1分間や80℃・10秒間などの熱水でも有効と推定されるが，安全を見込んで80℃・10分間とする）。

表34　コレラ菌の消毒例

ベッドパン （便器）	・ベッドパンウォッシャー（90℃・1分間など） ・洗浄後に，0.1％第四級アンモニウム塩（ベンザルコニウム塩化物など）や両性界面活性剤へ30分間浸漬 ・洗浄後に，0.05〜0.1％（500〜1,000 ppm）次亜塩素酸ナトリウムへ30分間浸漬
洋式トイレの便座 フラッシュバルブ 水道の蛇口，ドアノブ	・アルコールで清拭
床頭台 オーバーテーブル 洗面台	・0.2％第四級アンモニウム塩（ベンザルコニウム塩化物など）や両性界面活性剤で清拭 ・アルコールで清拭
床	・0.2％第四級アンモニウム塩（ベンザルコニウム塩化物など）や両性界面活性剤で清拭
リネン	・熱水洗濯（80℃・10分間など） ・0.02〜0.1％（200〜1,000 ppm）次亜塩素酸ナトリウムへ30分間浸漬 ・0.1％第四級アンモニウム塩（ベンザルコニウム塩化物など）や両性界面活性剤へ30分間浸漬
手　指	・速乾性擦式アルコール製剤

コレラの感染経路は糞口である

2 細菌性赤痢

国内での発生，および輸入感染症としての発生がある消化器感染症である。重症例では，頻回の便意とともに粘血便を排泄する。

1）感染経路 [43, 108]

赤痢患者または無症状病原体保菌者の便中に赤痢菌が排泄される。汚染された手，水，食物などによる接触感染（糞口感染）を起こす。きわめて少ない菌量で感染が成立する。水が汚染された場合は集団感染の原因になる。

2）患者への対応

状況に応じ入院。また，飲食物に関連した職業への就業制限を行う。

3）患者環境の対策

糞便の曝露防止に注意を払う。そのためにはできるかぎりシングルユースの製品で対応する。

4）医療従事者への注意 [119-122, 127-130]

細菌性赤痢の伝播は小菌量で成立する。したがって，厳重な消毒が必要である。また，糞口ルートの遮断の観点から，トイレの消毒，手洗いや手指消毒が重要である。

5）汚染物の消毒 [9-12, 46-48, 116, 117] (表35)

（1）対　象

主な消毒対象は，患者の糞便で汚染された可能性のある箇所（トイレ，ドアノブ，水道の蛇口，リネン，浴槽など）である。

（2）消毒薬

赤痢菌に対しては，すべての消毒薬が有効である。第四級アンモニウム塩（ベンザルコニウム塩化物など），両性界面活性剤，次亜塩素酸ナトリウムおよびアルコール（消毒用エタノール，70％イソプロパノールなど）等を用いる。

また，80℃・10分間の熱水も有効である（70℃・1分間や80℃・10秒間などの熱水でも有効と推定されるが，安全を見込んで80℃・10分間とする）。

表35　赤痢菌の消毒例

ベッドパン （便器）	・ベッドパンウォッシャー（90℃・1分間など） ・洗浄後に，0.1％第四級アンモニウム塩（ベンザルコニウム塩化物など）や両性界面活性剤へ30分間浸漬 ・洗浄後に，0.05〜0.1％（500〜1,000 ppm）次亜塩素酸ナトリウムへ30分間浸漬
洋式トイレの便座 フラッシュバルブ 水道の蛇口，ドアノブ	・アルコールで清拭
床頭台 オーバーテーブル 洗面台	・0.2％第四級アンモニウム塩（ベンザルコニウム塩化物など）や両性界面活性剤で清拭 ・アルコールで清拭
床	・0.2％第四級アンモニウム塩（ベンザルコニウム塩化物など）や両性界面活性剤で清拭
リネン	・熱水洗濯（80℃・10分間など） ・0.02〜0.1％（200〜1,000 ppm）次亜塩素酸ナトリウムへ30分間浸漬 ・0.1％第四級アンモニウム塩（ベンザルコニウム塩化物など）や両性界面活性剤へ30分間浸漬
手　指	・速乾性擦式アルコール製剤

細菌性赤痢の感染経路は糞口である

3 腸管出血性大腸菌感染症

Escherichia coli O157，O26，O111 および O156 などのベロ毒素を産生する大腸菌による感染症である。

本感染症では，無症状から軽い腹痛や下痢を伴うもの，さらには頻回の下痢，激しい腹痛と血便などとともに尿毒症や脳炎により死に至るものまでさまざまである。有症状者の約6〜7％は，初発症状から2週間以内に溶血性尿毒症症候群（hemolytic uremic syndrome；HUS）や脳症を発症するため注意が必要である。

1）感染経路 [43, 108, 123, 131]

ウシなどの反芻動物は，腸管内にベロ毒素産生の大腸菌を保有していることがある。本菌に汚染された牛肉，ハンバーグ，野菜などの食物や水による接触感染（糞口感染）で感染する。感染に必要な菌量は100個以下ときわめて少ない。感染したヒトや無症状病原体保有者の糞便にも含まれており，同様に接触感染が起こる。

2）患者への対応

状況に応じて入院。また，飲食物に関連した職業への就業制限を行う。

3）患者環境の対策

糞便の曝露防止に注意を払う。そのためにはできるかぎりシングルユースの製品で対応する。

4）医療従事者への注意 [124, 125, 129, 131-133]

腸管出血性大腸菌の伝播は小菌量で成立する。したがって，厳重な消毒が必要である。また，糞口ルートの遮断の観点から，手洗いや手指消毒が重要である。

5）汚染物の消毒 [9-12, 46-48, 116, 117] （表36）

（1）対　象

主な消毒対象は，患者の糞便で汚染された可能性のある箇所（トイレ，ドアノブ，水道の蛇口，リネン，浴槽など）である。

（2）消　毒

大腸菌に対しては，すべての消毒薬が有効である。第四級アンモニウム塩（ベンザルコニウム塩化物など），両性界面活性剤，次亜塩素酸ナトリウムおよびアルコール（消毒用エタノール，70％イソプロパノールなど）等を用いる。

また，80℃・10分間の熱水も有効である（70℃・1分間や80℃・10秒間などの熱水でも有効と推定されるが，安全を見込んで80℃・10分間とする）。

表36 腸管出血性大腸菌の消毒例

ベッドパン （便器）	・ベッドパンウォッシャー（90℃・1分間など） ・洗浄後に，0.1％第四級アンモニウム塩（ベンザルコニウム塩化物など）や両性界面活性剤へ30分間浸漬 ・洗浄後に，0.05〜0.1％（500〜1,000 ppm）次亜塩素酸ナトリウムへ30分間浸漬
洋式トイレの便座 フラッシュバルブ 水道の蛇口，ドアノブ	・アルコールで清拭
床頭台 オーバーテーブル 洗面台	・0.2％第四級アンモニウム塩（ベンザルコニウム塩化物など）や両性界面活性剤で清拭 ・アルコールで清拭
床	・0.2％第四級アンモニウム塩（ベンザルコニウム塩化物など）や両性界面活性剤で清拭
リネン	・熱水洗濯（80℃・10分間など） ・0.02〜0.1％（200〜1,000 ppm）次亜塩素酸ナトリウムへ30分間浸漬 ・0.1％第四級アンモニウム塩（ベンザルコニウム塩化物など）や両性界面活性剤へ30分間浸漬
手　指	・速乾性擦式アルコール製剤

4 腸チフス，パラチフス

　高熱，バラ疹，下痢などを主症状とする感染症である。重症例では，腸出血や腸穿孔も起こり得る。腸チフスはチフス菌（*Salmonella typhi*）により，パラチフスはパラチフスA菌（*Salmonella paratyphi A*）により生じる。

1）感染経路 [43, 108]

　感染源はヒトのみである。感染したヒトの糞便や尿に汚染された水，食物などによる接触感染（糞口感染）で感染する。無症状病原体保有者の糞便中にも菌は排出される。わが国での報告例の過半数は，南アジア，東南アジア，アフリカ，中南米などであるが，国内発生例もある。

2）患者への対応

　状況に応じて入院。また，飲食物に関連した職業への就業制限を行う。

3）患者環境および観血的処置時の対策

　糞便，血液，尿の曝露防止に注意を払う（健康保菌者のほとんどが胆嚢内保菌者である）。そのためにはできるかぎりシングルユースの製品で対応する。

4）医療従事者への注意 [126, 134, 135]

　接触感染を遮断する観点から，手洗いや手指消毒が重要である。なお，腸チフスの伝播は，おおよそ10^5個の菌量で成立する。一方，細菌性赤痢や腸管出血性大腸菌感染症では10〜100個である。したがって，家庭内や病院内での腸チフスの伝播は，細菌性赤痢に比べると生じにくい。

5）汚染物の消毒 [9-12, 46-48, 116, 117]（表37）

（1）対　象

　主な消毒対象は，糞便および尿で汚染された可能性のある箇所（トイレ，ドアノブ，水道の蛇口，リネン，浴槽など）である。

（2）消　毒

　チフス菌およびパラチフスA菌に対しては，すべての消毒薬が有効である。第四級アンモニウム塩（ベンザルコニウム塩化物など），両性界面活性剤，次亜塩素酸ナトリウムおよびアルコール（消毒用エタノール，70％イソプロパノールなど）等を用いる。

　また，80℃・10分間の熱水も有効である（70℃・1分間や80℃・10秒間などの熱水でも有効と推定されるが，安全を見込んで80℃・10分間とする）。

表37 チフス菌およびパラチフスA菌の消毒例

ベッドパン （便器）	・ベッドパンウォッシャー（90℃・1分間など） ・洗浄後に，0.1％第四級アンモニウム塩（ベンザルコニウム塩化物など）や両性界面活性剤へ30分間浸漬 ・洗浄後に，0.05〜0.1％（500〜1,000 ppm）次亜塩素酸ナトリウムへ30分間浸漬
洋式トイレの便座 フラッシュバルブ 水道の蛇口，ドアノブ	・アルコールで清拭
床頭台 オーバーテーブル 洗面台	・0.2％第四級アンモニウム塩（ベンザルコニウム塩化物など）や両性界面活性剤で清拭 ・アルコールで清拭
床	・0.2％第四級アンモニウム塩（ベンザルコニウム塩化物など）や両性界面活性剤で清拭
リネン	・熱水洗濯（80℃・10分間など） ・0.02〜0.1％（200〜1,000 ppm）次亜塩素酸ナトリウムへ30分間浸漬 ・0.1％第四級アンモニウム塩（ベンザルコニウム塩化物など）や両性界面活性剤へ30分間浸漬
手 指	・速乾性擦式アルコール製剤

Ⅳ 問題となる病原体の消毒・不活性化法

1 B型肝炎ウイルス，C型肝炎ウイルス，ヒト免疫不全ウイルス（human immunodeficiency virus；HIV）

1）感染経路[43, 128-130]

　B型肝炎ウイルス，C型肝炎ウイルス，ヒト免疫不全ウイルスは，いずれも血液媒介感染であり，血液を介してヒトからヒトへ伝播する。すなわち，母子感染，入れ墨，麻薬の注射器のうち回し，性行為，髭剃りなどによって感染する。皮膚に創があり患者の血液で汚染されれば感染する可能性がある。医療機関では，輸血，針刺し・切創，粘膜曝露などで感染する。院内では，標準予防策を遵守することで感染を防ぐことができる。

2）有効な消毒薬[131-135]（表38）

　過酢酸，フタラール，グルタラールなどの高水準消毒薬や次亜塩素酸ナトリウムやアルコールなどの中水準消毒薬が有効である。また，80℃・10分間などの熱水消毒も有効である。

3）環境の消毒

　血液などの体液汚染箇所を，0.5％（5,000 ppm）次亜塩素酸ナトリウムやアルコール（消毒用エタノール，70％イソプロパノールなど）をしみ込ませたガーゼなどで拭き取る。2度拭きが望ましい。

　なお，次亜塩素酸ナトリウム清拭では，材質の劣化防止のため，適用5分以上経過後に水拭きやアルコール拭きが必要になる場合がある。

4）器材やリネンの消毒

　耐熱性の器材やリネンなどの消毒には，熱水消毒（80℃・10分間など）がもっとも適している。ウォッシャーディスインフェクタや熱水洗濯機を用いた熱水消毒を行う。また，これらの熱水消毒装置がない場合には，消毒薬を用いる。

表38　B型肝炎ウイルス，C型肝炎ウイルス，HIVの消毒例

床などへ付着した血液	・0.5%(5,000 ppm)次亜塩素酸ナトリウムやアルコールをしみ込ませたガーゼなどで拭き取る
鋼製小物	・ウォッシャーディスインフェクタ（93℃・10分間など） ・0.55%フタラールや2〜3%グルタラールへ10分間浸漬[*1] ・0.3%過酢酸へ5分間浸漬[*2]
内視鏡	・0.55%フタラールや2〜3%グルタラールへ10分間浸漬[*1] ・0.3%過酢酸へ5分間浸漬
リネン	・熱水洗濯（80℃・10分間など） ・0.05〜0.1%（500〜1,000 ppm）次亜塩素酸ナトリウムへ30分間浸漬

[*1] 濃度表示はアルコール系はvol（v/v）%，その他ではw/v%
[*2] 金属腐食性の視点から10分間を超える浸漬は行わない

2 ノロウイルス

1) 感染経路 [136, 137]

　ノロウイルスは二枚貝の中腸腺に蓄積されるため，加熱不十分な牡蠣などを摂取すると感染する（食中毒）。感染者の糞便中には多量のウイルスが存在し，感染者が調理した食品を摂取することでも感染する。感染に必要なウイルス量が少ないため，調理と関係なく接触感染を起こす。また，無症状病原体保有者からもウイルスは排出される。患者の嘔吐物を吸い込んでしまった場合や嘔吐物の処理中にエアロゾル化したウイルスを吸入することでも感染し得る。感染力が強く，病院や老人介護施設で多くのアウトブレイクの報告がある。

2) 有効な消毒薬 [136, 138-157] （表39）

　過酢酸，フタラール，グルタラールなどの高水準消毒薬，および中水準消毒薬の次亜塩素酸ナトリウムが有効である。また，80℃・10分間などの熱水消毒も有効である。

3) 環境の消毒

　糞便や嘔吐物などで汚染を受けた可能性がある箇所の消毒を，0.1〜0.5％（1,000〜5,000 ppm）次亜塩素酸ナトリウムで行う。

　例えば，嘔吐物による汚染を受けた床の消毒では，嘔吐物を除去後に，0.1〜0.5％（1,000〜5,000 ppm）次亜塩素酸ナトリウムでの清拭を行う。また，トイレ（洋式トイレの便座，ドアノブ，フラッシュバルブ）などの消毒でも，0.1〜0.5％（1,000〜5,000 ppm）次亜塩素酸ナトリウムによる清拭を行うが，汚れが付着している便座などでは0.5％液による清拭が望ましい。さらに，ドアノブやフラッシュバルブなどの金属箇所への使用では，金属腐食防止のために，10分間以上経過後にアルコール拭きや水拭きを行うのが望ましい。

　なお，ノロウイルスの患者が嘔吐するとエアロゾルが発生し，エアロゾル中に含まれるウイルスを吸入することでも感染する。また，嘔吐物をそのままにしておくと乾燥し，ウイルスが舞い上がることも知られている。したがって，嘔吐物などの処理には，手袋のみならず医療用マスクの着用も必要である。

4) 手指消毒 [139, 141, 142]

　第一選択手指衛生法は，流水と石けんによる手洗いである。20秒間などの手洗いを十分な流量の下で行う。

表39　ノロウイルスの消毒例

洋式トイレの便座 フラッシュバルブ 水道の蛇口，ドアノブ	・0.1～0.5%（1,000～5,000 ppm）次亜塩素酸ナトリウムで清拭
嘔吐物	・ティッシュペーパーなどで汚れを除去後に0.5%（5,000 ppm）次亜塩素酸ナトリウムでの清拭
ベッドパン（便器）	・ベッドパンウォッシャー（90℃・1分間などの蒸気） ・洗浄後に，0.1～0.5%（1,000～5,000 ppm）次亜塩素酸ナトリウムへ30分浸漬
床頭台 オーバーテーブル	・0.1～0.5%（1,000～5,000 ppm）次亜塩素酸ナトリウムで清拭
リネン	・熱水洗濯（80℃・10分間など） ・0.1%（1,000 ppm）次亜塩素酸ナトリウムへ30分間浸漬
食　器	・熱水（80℃・3分間など）
手　指	・流水と石けん

3 アデノウイルス（流行性角結膜炎の原因ウイルス）

1）感染経路 [43, 158-160]

　感染した目を触れることで手指がウイルスで汚染する。手指からの直接接触感染またはタオルなどの共用物品からの間接接触感染が成立する。医療機関内でも家庭内と同様の接触感染が起こるが，とくに眼科で眼圧計，スリーミラーレンズなどの医療機器を介したアウトブレイク事例が報告されている。

2）有効な消毒薬 [161-168]（表40）

　過酢酸，フタラール，グルタラールなどの高水準消毒薬，次亜塩素酸ナトリウムやアルコールなどの中水準消毒薬が有効である。また，80℃・10分間などの熱水消毒も有効である。なお，アルコールの使用では，イソプロパノールよりもエタノール（消毒用エタノール；76.9～81.4vol％）の使用が望ましい。

3）環境や器材の消毒

　ドアノブや手すりの消毒は，アルコール清拭で対応する。2度拭きが望ましい。また，眼科用器材の消毒は，熱水消毒（80℃・10分間など），アルコールでの清拭や10分間浸漬，および0.1％（1,000ppm）次亜塩素酸ナトリウムへの30分間浸漬などを行う。

表40 アデノウイルスの消毒例

ドアノブ 水道の蛇口	・消毒用エタノールの2度拭き
スリーミラー	・0.1%(1,000 ppm)次亜塩素酸ナトリウムへ30分間浸漬
鋼製小物	・ウォッシャーディスインフェクタ(93℃・10分間など)
手　指	・速乾性擦式アルコール製剤

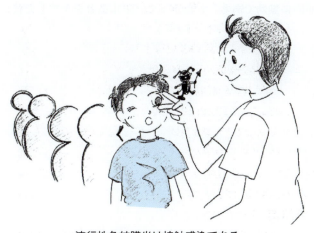

流行性角結膜炎は接触感染である

4 クロストリディオイデス・ディフィシル（*Clostridioides difficile*）

1）感染経路 [43, 169, 170]

　腸管内のクロストリディオイデス・ディフィシルが抗菌薬の使用により菌交代現象が起き，異常増殖する。毒素の産生により偽膜性腸炎を起こし，発熱，腹痛，下痢などの症状をもって発症する。排泄された菌は芽胞を形成し，患者周囲の環境や医療従事者の手指を汚染する。接触感染によりその他の患者に伝播し，時にアウトブレイクが発生する。また，無症候性キャリアも存在し，糞便から芽胞が排泄される。

2）有効な消毒薬 [171-182]（表41）

　過酢酸，フタラール，グルタラールなどの高水準消毒薬や次亜塩素酸ナトリウムが有効である。しかし，アルコールは無効である。

3）環境やリネンの消毒

　クロストリディオイデス・ディフィシル感染症（*Clostridioides difficile* infection；CDI）患者の環境周辺には，本菌の芽胞が大量に存在していることがある。したがって，CDI患者の周辺環境の消毒は重要である。病室（ベッド，床頭台，オーバーテーブル，床など），トイレおよび浴室などの糞便汚染を受けている可能性がある箇所を0.1～0.5％（1,000～5,000 ppm）次亜塩素酸ナトリウムで清拭する。なお，次亜塩素酸ナトリウムでの広範囲面積の清拭では，塩素ガスの曝露防止に注意を払う必要がある。すなわち，窓の開放や，酸性ガス用のマスクの着用で対応する。また，次亜塩素酸ナトリウムの金属箇所（ドアノブなど）への適用では，金属腐食防止のため，適用10分間以上経過した後にアルコール拭きや水拭きが必要である。

　一方，芽胞で汚染した下着などの消毒には，0.1％（1,000 ppm）次亜塩素酸ナトリウムへの30分間浸漬や，洗濯のすすぎ工程後に0.02～0.05％（200～500 ppm）次亜塩素酸ナトリウムへの5分間浸漬を行う。ただし，色・柄物には次亜塩素酸ナトリウムの使用は不可である。この際には，洗濯工程を2度くり返すなどの洗浄の徹底で対応する。

4）手指消毒

　手指消毒に汎用されるアルコールやクロルヘキシジングルコン酸塩などは，クロストリディオイデス・ディフィシルの芽胞に無効である。したがって，CDI患者をケアした後には，石けんと流水で手洗いを行う。

表41 クロストリディオイデス・ディフィシルの消毒例

洋式トイレの便座 フラッシュバルブ 水道の蛇口，ドアノブ	・0.1～0.5%（1,000～5,000 ppm）次亜塩素酸ナトリウムで清拭
ベッドパン（便器）	・ベッドパンウォッシャー（90℃・1分間などの蒸気） ・洗浄後に0.1～0.5%（1,000～5,000 ppm）次亜塩素酸ナトリウムへ30分間浸漬
床頭台 オーバーテーブル	・0.1～0.5%（1,000～5,000 ppm）次亜塩素酸ナトリウムで清拭
リネン	・0.1%（1,000 ppm）次亜塩素酸ナトリウムへ30分間浸漬
手　指	・流水と石けん

5 メチシリン耐性黄色ブドウ球菌（methicillin-resistant *Staphylococcus aureus*；MRSA）

1）感染経路 [43, 183-185]

　メチシリン耐性黄色ブドウ球菌（MRSA）感染者（または保菌者）から医療従事者の手指を介して他の患者に伝播する。また，MRSAで汚染された器材や環境からも間接接触感染により伝播する。

　特殊な状態として，MRSAの鼻腔キャリアがウイルス感染症に罹患するとMRSAを空気中にまき散らす現象がみられる。

2）有効な消毒薬 [186-189] （表42）

　過酢酸，フタラール，グルタラールなどの高水準消毒薬，次亜塩素酸ナトリウムやポビドンヨードおよびアルコール（消毒用エタノール，70％イソプロパノールなど）などの中水準消毒薬に加えて，第四級アンモニウム塩（ベンザルコニウム塩化物など）や両性界面活性剤などの低水準消毒薬が有効である。また，80℃・1分間などの熱水消毒も有効である。

3）環境や器材の消毒 [190-200]

　MRSAに汚染された環境は，アルコール（消毒用エタノールなど）や第四級アンモニウム塩（ベンザルコニウム塩化物など）等で清拭を行う。とくに，MRSAが検出されている熱傷患者，気管切開患者，低出生体重児などの周辺環境はMRSAで汚染されやすい。また，患者に使用したマンシェット（血圧計のカフ）や体温計なども汚染を受ける。

　また，器材やリネンの消毒には熱水消毒がもっとも適している。ウォッシャーディスインフェクタ，熱水洗濯機，家庭用の食器洗浄機などを用いる。

表42 MRSAの消毒例

ドアノブ 処置台	・アルコール清拭
床頭台 オーバーテーブル	・0.2％第四級アンモニウム塩（ベンザルコニウム塩化物など）や両性界面活性剤で清拭 ・アルコール清拭
血圧計のマンシェット	・熱水洗濯（70℃・10分間など） ・アルコール清拭
パルスオキシメータ （サチュレーションモニター）	・アルコール清拭
玩　具	・アルコール清拭 ・0.05％（500 ppm）次亜塩素酸ナトリウムで清拭 ・0.01％（100 ppm）次亜塩素酸ナトリウムへ1時間浸漬
リネン	・熱水洗濯（70℃・10分間など） ・0.1％第四級アンモニウム塩（ベンザルコニウム塩化物など）へ30分間浸漬

6 バンコマイシン耐性腸球菌（vancomycin resistant enterococci；VRE）

1）感染経路[43, 201, 202]

腸管内にバンコマイシン耐性腸球菌（VRE）をもつ患者は，糞便中にVREを排泄することによって患者周囲の環境や医療従事者の手指を汚染する．手指を介した直接接触感染，または汚染した器材や環境からの間接接触感染で伝播する．

2）有効な消毒薬[203-206]（表43）

すべての消毒薬が有効である．過酢酸，フタラール，グルタラールなどの高水準消毒薬，次亜塩素酸ナトリウムやポビドンヨードおよびアルコールなどの中水準消毒薬に加えて，第四級アンモニウム塩（ベンザルコニウム塩化物など）や両性界面活性剤などの低水準消毒薬が有効である．また，80℃・1分間などの熱水も有効である．

3）環境や器材の消毒[207-209]

VREを排出している患者の周辺環境，トイレおよび浴室などの消毒をアルコール（消毒用エタノールなど）や第四級アンモニウム塩（ベンザルコニウム塩化物など）等での清拭で行う．また，器材やリネンの消毒には熱水がもっとも適している．ウォッシャーディスインフェクタ，熱水洗濯機，家庭用の食器洗浄機などを用いる．

表43　VREの消毒例

ベッドパン（便器）	・ベッドパンウォッシャー（90℃・1分間などの蒸気） ・洗浄後に，0.1%第四級アンモニウム塩（ベンザルコニウム塩化物など）や両性界面活性剤へ30分間浸漬 ・洗浄後に，0.05%（500 ppm）次亜塩素酸ナトリウムへ30分間浸漬
洋式トイレの便座 フラッシュバルブ 水道の蛇口，ドアノブ	・アルコール清拭
床頭台 オーバーテーブル 洗面台	・0.2%第四級アンモニウム塩（ベンザルコニウム塩化物など）や両性界面活性剤で清拭 ・アルコール清拭
床	・0.2%第四級アンモニウム塩（ベンザルコニウム塩化物など）や両性界面活性剤で清拭
リネン	・熱水洗濯（70℃・10分間など） ・0.02〜0.1%（200〜1,000 ppm）次亜塩素酸ナトリウムへ30分間浸漬 ・0.1%第四級アンモニウム塩（ベンザルコニウム塩化物など）や両性界面活性剤へ30分間浸漬

7 薬剤耐性緑膿菌（multi-drug resistant *Pseudomonas aeruginosa* ; MDRP）

1）感染経路 [43, 210-224]

尿，喀痰，創部から薬剤耐性緑膿菌（MDRP）が検出される患者をケアした医療従事者の手指を介して他の患者に伝播する。また，MDRPで汚染された器材や環境からも接触感染で伝播する。緑膿菌は乾燥に弱いので，環境面をきれいに清拭し十分に乾燥させることが重要である。なお，輸液，経管栄養剤，消毒薬，ネブライザー，スポンジ，剃毛用ハケ，内視鏡，恒温槽水，シャワー水，浴室で用いた玩具，ハンドローションなどの緑膿菌汚染に起因する感染例もある。

2）有効な消毒薬 [117, 134, 225-227] （表44）

すべての消毒薬が有効である。過酢酸，フタラール，グルタラールなどの高水準消毒薬，次亜塩素酸ナトリウムやポビドンヨードおよびアルコール（消毒用エタノール，70％イソプロパノール）などの中水準消毒薬に加えて，第四級アンモニウム塩（ベンザルコニウム塩化物など）や両性界面活性剤などの低水準消毒薬が有効である。また，80℃・1分間などの熱水も有効である。

3）環境や器材の消毒 [228-232]

MDRPに汚染された器材や環境の消毒には，すべての消毒薬が有効である。アルコールや第四級アンモニウム塩（ベンザルコニウム塩化物など）等で清拭する。

また，器材やリネンの消毒には熱水がもっとも適している。ウォッシャーディスインフェクタ，熱水洗濯機，家庭用の食器洗浄機などを用いる。

なお，環境浄化の具体的方法としては，「スポンジを使用した洗浄後は水洗いを確実に実施し，その後の器材の乾燥に留意する」「内視鏡の内腔（チャンネル）のアルコールフラッシュ」「恒温槽は7日間ごとなど定期的に空にして乾燥させる」などがあげられる。

表44 MDRPの消毒例

ネブライザー装置 （薬液カップ，蛇管など）	・0.01％（100 ppm）次亜塩素酸ナトリウムへ1時間浸漬 ・熱水（70℃・3分間など）
内視鏡	・消毒→すすぎ（リンス）後のチャンネル内のアルコールフラッシュ
ドアノブ	・アルコール清拭
床頭台 オーバーテーブル	・0.2％第四級アンモニウム塩（ベンザルコニウム塩化物など）や両性界面活性剤で清拭 ・アルコール清拭
リネン	・熱水洗濯（70℃・10分間など） ・0.1％第四級アンモニウム塩（ベンザルコニウム塩化物など）へ30分間浸漬

8 薬剤耐性アシネトバクター (multi-drug resistant *Acinetobacter baumannii*；MDR-AB)

1) 感染経路 [183, 191, 233-237]

薬剤耐性アシネトバクター（MDR-AB）で汚染された器材や環境から接触感染によって患者に伝播する。アシネトバクターは，湿潤環境を好むが乾燥した環境でも長期間生息できる。また，MDR-ABが定着している患者をケアする医療従事者の手指を介して伝播する。

2) 有効な消毒薬 [238-242] (表45)

過酢酸，フタラール，グルタラールなどの高水準消毒薬，次亜塩素酸ナトリウムやポビドンヨードおよびアルコール（消毒用エタノール，70％イソプロパノール）などの中水準消毒薬に加えて，第四級アンモニウム塩（ベンザルコニウム塩化物など）や両性界面活性剤などの低水準消毒薬が有効である。また，80℃・1分間などの熱水も有効である。

3) 環境や器材の消毒 [228, 231, 232, 243-248]

フタラールやグルタラールなどの高水準消毒薬はMDR-ABに対して有効だが，毒性の観点から環境消毒には適さない。したがって，MDR-AB汚染を受けた環境表面の消毒には，アルコール，0.01％（100 ppm）次亜塩素酸ナトリウム，0.2％第四級アンモニウム塩（ベンザルコニウム塩化物など）および0.2％両性界面活性剤などでの清拭で対応する。また，リネンや耐熱・耐水性の器材に対しては，熱（熱水，蒸気）が第一選択消毒法である。熱水洗濯機，ウォッシャーディスインフェクタやベッドパンウォッシャーなどを用いた熱消毒は，MDR-AB汚染を受けたリネンや器材にきわめて有効である。

MDR-ABの汚染を受けた手指に対し，速乾性擦式アルコール製剤は速やかな消毒効果を示す。また，洗浄剤含有4％クロルヘキシジングルコン酸塩や洗浄剤含有7.5％ポビドンヨードも有効である。

なお，次のような器材や薬液などからアシネトバクター（*Acinetobacter* spp.）が検出されやすい。

- 消毒せずにくり返し使用されている経管栄養剤の投与バッグ
- 湿ったまま再利用されている口腔ケア用品
- 壁掛け式吸引装置に接続されているチューブ
- 適正な消毒が行われていないネブライザー装置内の吸入液
- 人工呼吸器回路内の結露水
- 超音波加湿器
- スポンジ
- 剃毛用ハケ
- 室温保管で分割使用されているアロプリノール含嗽液
- 蒸留装置内の蒸留水

表45 MDR-AB の消毒例

ネブライザー装置 (薬液カップ，蛇管など)	・0.01%（100 ppm）次亜塩素酸ナトリウムへ1時間浸漬 ・熱水（70℃・3分間や80℃・1分間など）
口腔ケア用品	・熱水（70℃・3分間や80℃・1分間など）
内視鏡	・消毒→すすぎ（リンス）後のチャンネル内のアルコールフラッシュ
ドアノブ	・アルコール清拭
床頭台 オーバーテーブル	・0.2%第四級アンモニウム塩（ベンザルコニウム塩化物など）や両性界面活性剤で清拭 ・アルコール清拭
リネン	・熱水洗濯（70℃・10分間など） ・0.1%第四級アンモニウム塩（ベンザルコニウム塩化物など）へ30分間浸漬

9 クロイツフェルト・ヤコブ病プリオン

1）感染経路
　クロイツフェルト・ヤコブ病（Creutzfeldt-Jakob disease；CJD）が医療を介して感染した報告は，その臓器が限定されている。観血的器械の汚染によるものは脳深部電極：2例，脳神経外科手術器械：4例，硬膜移植：64例，角膜移植：2例，成長ホルモン：76例，ゴナドトロピン：4例である[249]。いずれも1980年以前の症例であり，その後の報告はない。

2）手術器械を介したプリオン感染の防止
　手術器械を介したプリオン感染の防止には，以下の点が重要である。
①手術前にCJDを見逃さない。
②CJD患者あるいはCJDを疑う患者の手術には，できるだけ単回使用器材（single use devices；SUDs）を用いる。あるいは使用可能な古い器械を用いて，手術終了後に廃棄・焼却する。
③ハイリスク手技の手術においてはプリオン感染の可能性があると考える（表46, 47）。
④再使用する器械を再生処理するときには，プリオンの不活性化が確立された方法を用いる。
　CJDの原因であるプリオンは，医療機関において行われる通常の消毒・滅菌法に対してきわめて強い抵抗性を示す。
　感染防止の基本は，標準予防策と感染経路別予防策から成り立つ。
　現時点では，CJDの有無を100％確実に術前診断できる簡便かつ実用的な方法はない。

表46　CJD二次感染防止に関するハイリスク手技

①硬膜を切開または穿刺する手技
②下垂体に接触する手技
③脳神経節を包む組織を切開して神経節に接触する手技
④硬膜外の手術でも髄液の漏出がみられる手技
⑤視神経または網膜に関する手技（眼球摘出，眼球内容除去を含む）
⑥脊髄後根神経節を包む組織を切開して神経節に接触する手技

表47　眼科領域のハイリスク手術

眼神経または網膜に関する手技
①眼窩手術
　・眼窩内容除去術
　・眼球内容除去術
　・眼球摘出術（角膜移植のためのドナー眼球摘出を含む）
　・眼球摘出および組織または義眼台充填術
　・眼球内異物除去術，眼窩内腫瘍摘出術および眼窩悪性腫瘍手術については術中操作により手術器具が視神経に接触した場合
②網膜・硝子体手術
　・黄斑下手術
　・硝子体茎顕微鏡下離断術
　・増殖性硝子体網膜症手術
　・網膜復位術
　・その他の網膜硝子体手術において術中操作により手術器具が網膜に接触した場合

したがって，プリオン不活性化を考慮した手術器械の再生処理方法を，日常業務にできるだけ取り入れるべきである。

プリオン不活性化に役立つ洗浄の実用的な方法[250-254]を以下にあげる。

①確実な洗浄を行って器械表面に付着したプリオンを物理的に除去する。
②ウォッシャーディスインフェクタを用いて高温アルカリ洗浄剤を使用した十分な洗浄を行えば，プリオンの化学的性質を変化させて感染力を低下させることができる（destabilization effects）。
③耐熱性かつ耐アルカリ性，そして洗浄液に全体を浸漬できる器械にはウォッシャーディスインフェクタによる高温アルカリ洗浄を行う。
④耐熱性の手術器械には，真空脱気プリバキューム高圧蒸気滅菌器（prevacuum autoclaves）を用いて滅菌を行う。
⑤非耐熱性の手術器械には，十分な洗浄を行った後に，過酸化水素低温ガスプラズマ滅菌または過酸化水素ガス低温滅菌を行う。ただし，使用する機種ごとに，プリオン不活性化の効果が確認された滅菌プログラムを用いる。

3）プリオン対策としての手術器械の取り扱いの基本

プリオンは乾燥すると，消毒・滅菌法に対する抵抗性がよりいっそう増強する。消毒薬に触れて凝固しても抵抗性は増強する。ウォッシャーディスインフェクタによる高温洗浄と熱水消毒，および，高圧蒸気滅菌法は，温度と時間を管理するだけで実施できる信頼性の高い方法である。

ハイリスク手技では，プリオン不活性化が実証された洗浄を行った後に，高圧蒸気滅菌法（134℃，18分間）を行う。実証された洗浄法が行えない器械には，2回洗浄を行った後に，高圧蒸気滅菌法や低温滅菌を行う。

洗浄においては，洗浄液の廃棄方法も重要な検討事項である。CJDか否か不明の患者の手術については，洗浄に用いた洗浄液は，特別な処理を行わず，そのまま排水する。一方，CJD患者あるいはCJDを疑う患者の手術においては，洗浄工程の排水にプリオンを不活性化できる処理を行った後に廃棄する。水酸化ナトリウムや次亜塩素酸ナトリウムを用いて処理した後に排水する方法がある。水酸化ナトリウムを使用するときには中和剤によりpHを6.5〜8.5にした後に排水する。排液を凝固剤で固形状にした後に焼却する方法もある。

滅菌法においては日常管理と滅菌バリデーションが正確に行われていることが重要である[250, 255-259]。

4）プリオン対策を考慮した手術器械の基本的滅菌法

現時点では，以下の3つの方法があげられる[260-270]。

①ウォッシャーディスインフェクタによる高温アルカリ洗浄*（90〜93℃）＋真空脱気プリバキューム高圧蒸気滅菌134℃，8〜10分間**。
②適切な洗浄剤による十分な洗浄＋真空脱気プリバキューム高圧蒸気滅菌134℃，18分間。
③アルカリ洗浄（洗浄剤の濃度，洗浄温度などはメーカーの指示に従う）の後，過酸化水素低温ガスプラズマ滅菌（滅菌器の機種ごとに，プリオン不活性化の効果が確認されている滅菌プログラムを使用する）。

*手術などのハイリスク手技においてSUDsが使用できない場合には，高温アルカリ洗浄が可能な器材を使用する（ウォッシャーディスインフェクタの使用が望ましい）。高温アルカリ洗浄を2回繰り返すことも推奨される。

**高圧蒸気滅菌の設定時間を18分間に延長することも推奨される。

10 クリプトスポリジウム

　クリプトスポリジウムは原虫であり，オーシスト（嚢子）を経口摂取することにより下痢，腹痛，食欲不振，嘔吐などの症状を呈する。ウシ，ブタ，ウマ，イヌ，ネコ，ネズミなどが保虫動物でオーシストを糞便中に排出する。内外で報告されている集団感染は，水系感染による。クリプトスポリジウムは，熱，冷凍，乾燥には弱いが塩素には抵抗性を示す。

1）感染経路

　哺乳動物に寄生すると，その腸管粘膜上皮細胞の微絨毛内でメロゾイドが増殖し，糞便中にオーシストを排出する。このオーシストで汚染された水，食品，手指を介して感染する。潜伏期間は，4～10日である。

2）患者の対応

　脱水の補正など支持療法，対症療法が行われる。下痢は長ければ数週間続くことがあるが健常者では自然治癒する。エイズ患者などの免疫不全の状態にある患者では重症化する。治療にパロモマイシンなどが投与されることがある（適応外使用）。患者の排泄物はビニール袋に入れて廃棄する。手袋を外した後も石けんと流水での手洗いを確実にする。入浴は最後に入る。

3）医療従事者への注意

　オーシストは手指や器具の消毒に使用される消毒薬の通常の濃度では死滅しないため，病院内感染を起こす可能性もある。汚物で汚染された衣類やリネンは熱水消毒を行う。

　1996（平成8）年，水道水に起因するクリプトスポリジウム症が発生した事例がある。2007（平成19）年3月に「水道におけるクリプトスポリジウム等対策指針」〔厚生労働省健康局水道課長通知（平成19年3月30日付け健水発第0330005号）〕が発出されて以来，クリプトスポリジウム症のリスクはさらに低下したものと推測されるが可能性はゼロではない。情報をいち早く入手して対応する必要がある。地域の水道水が汚染された場合は，煮沸あるいは濾過膜を使うなどの方法が考えられる。

V 四類感染症

四類感染症とは，動物，昆虫，蚊，飲食物などを介してヒトに感染し，国民の健康に影響を与えるおそれがある感染症である（表48）。媒介動物の輸入規制，消毒，ネズミなどの駆除等の措置が必要とされる。

表 48 四類感染症対象疾患

ウイルス性疾患	E 型肝炎，ウエストナイル熱（ウエストナイル脳炎を含む），A 型肝炎，黄熱，オムスク出血熱，キャサヌル森林病，狂犬病，エムポックス，ジカウイルス感染症，重症熱性血小板減少症候群，腎症候性出血熱，西部ウマ脳炎，ダニ媒介脳炎，チクングニア熱，デング熱，東部ウマ脳炎，鳥インフルエンザ（H5N1および H7N9 を除く），ニパウイルス感染症，日本脳炎，ハンタウイルス肺症候群，B ウイルス病，ベネズエラウマ脳炎，ヘンドラウイルス感染症，リッサウイルス感染症，リフトバレー熱
クラミジア性疾患	オウム病
リケッチア性疾患	Q 熱，つつが虫病，日本紅斑熱，発しんチフス，ロッキー山紅斑熱
スピロヘータ性疾患	回帰熱，ライム病，レプトスピラ症
原虫性疾患	マラリア
蠕虫性疾患	エキノコックス症
真菌（糸状菌）性疾患	コクシジオイデス症
芽胞形成菌性疾患	炭疽，ボツリヌス症
その他の細菌による疾患	鼻疽，ブルセラ症，レジオネラ症，野兎病，類鼻疽

1 ウイルス性疾患

1）ウイルスの消毒

ウイルスは，脂質を含むエンベロープと呼ばれる膜で包まれている場合と，エンベロープをもたない小型球形ウイルスに分類できる。

消毒薬による不活性化を受けやすいか抵抗性を示すかの違いは，エンベロープを有しているかどうかにより異なる。エンベロープを有するウイルスは消毒薬に対して感性である。

ウイルスに効果を示す消毒薬（消毒法）を以下に示す。

①80℃・10 分間などの熱（熱水・蒸気）
②過酢酸，フタラール，グルタラールなどの高水準消毒薬
③次亜塩素酸ナトリウム，アルコールおよびポビドンヨードなどの中水準消毒薬

2）疾患の臨床像と感染対策

（1）E 型肝炎

E 型肝炎ウイルスはヘペウイルス科に属し，経口的に摂取されると平均 6 週間の潜伏期を経て急性

肝炎を発症する。ウイルスは，ブタ，イノシシ，シカなどが保有し，流行地域ではウイルスに汚染された水，野菜，肉などを摂取することにより感染する。症状は，腹痛，食欲不振，膿尿，発熱，肝腫大，黄疸，吐き気および嘔吐である。エンベロープを有しないため，消毒薬抵抗性は比較的高いものと思われる。

感染防止は標準予防策で対応するが，排泄物には感染性があるものとして対応する必要があり，失禁があれば接触予防策を追加して実施する。わが国でもシカ肉の生食を原因とするE型肝炎ウイルス食中毒の発生事例が報告されている。特定のシカ肉を生で食べて6～7週間後にE型肝炎を発症し，患者から検出されたE型肝炎ウイルスとシカ肉から検出されたものの遺伝子配列が一致していた。そのため，野生動物の肉などの生食は避けるべきである。さらに，妊婦に感染すると劇症肝炎を発症し，死亡する率が高いという研究結果があるため，妊婦はとくに野生動物の生肉を食べてはならない。

(2) ウエストナイル熱

病原体はウエストナイルウイルス（フラビウイルス科フラビウイルス属）で，エンベロープを有する。1937年にアフリカのウガンダWest Nile地方の発熱患者から分離された。カラスを含む野鳥と蚊の間で感染環が維持される。ヒトは感染蚊（イエカやヤブカなど）に刺されて感染する。ヒトからヒトへの感染については，輸血や臓器移植を介した感染や，母乳を介した感染の報告がある。

潜伏期間は2～14日である。通常は6日目までに発症する。臨床症状としては，突然の発熱（39℃以上）があり，頭痛や筋肉痛，食欲不振とともに，約半数で胸背部に発疹が認められる。まれに高齢者を中心に脳炎を発症し，激しい頭痛や意識障害を呈する。

感染防止には標準予防策で対応する。

(3) A型肝炎

病原体はA型肝炎ウイルス（ピコルナウイルス科ヘパトウイルス属）であり，エンベロープを有しない。親水性であり消毒薬に対する抵抗性は高い。接触感染（糞口）が主体であるが血液を介した感染もある。ウイルスに汚染された飲料水や食物を介して感染することが多い。上水道汚染，汚染食品などにより集団発生することもある。症状は，突然の発熱と悪心・嘔吐，右季肋部痛，尿の濃染などで，黄疸がみられることもある。HAワクチン接種が行われている。

感染防止は標準予防策で対応するが，失禁があれば接触予防策を追加して実施する。

(4) 黄　熱

病原体は黄熱ウイルス（フラビウイルス科）でエンベロープを有する。致死率の高い国際検疫伝染病である。ヒトやサルにネッタイシマカなどの蚊を介して感染する。蚊に刺されてから3～6日で突然の高熱で発症し，黄疸，出血などの症状が出現する。

標準予防策で対応するが，患者の血液による汚染には十分注意する必要がある。感染リスクのある地域に渡航する人は黄熱ワクチンの接種が必要である。

(5) オムスク出血熱

フラビウイルス科フラビウイルス属のオムスク出血熱ウイルスによる感染症である。ロシアの西部オムスクで最初に発見された。自然界においてはマダニとげっ歯類の間で感染環ができている。ヒトはマダニからの刺咬により感染するが，げっ歯類などの尿や血液による感染もある。潜伏期間は3～9日で，突然の発熱，筋肉痛，咳，頭痛，消化器症状をみる。二相性の発熱を呈することも多く，2度目の発熱では髄膜炎，腎機能障害，肺炎などに注意しなければならない。難聴や神経精神障害あるいは脱毛を呈することがある。致死率は3％以下である。

(6) キャサヌル森林病

フラビウイルス科フラビウイルス属のキャサヌル森林病ウイルスによる感染症である。1957年に

インドのカルナカタでサルから初めて分離された。自然界では、マダニとげっ歯類の間で感染環が維持されている。ヒトはマダニから感染する。潜伏期間は3〜12日で、突然の発熱、筋肉痛、咳、頭痛、消化器症状、出血などをきたす。出血性肺水腫となる場合が多い。1〜3週間寛解が続いた後、再度発熱がみられ、髄膜炎や脳炎を生ずる。致死率は5％以下である。

(7) 狂犬病

病原体は狂犬病ウイルス（ラブドウイルス科）で、エンベロープを有する。ウイルスとキツネ、アライグマ、スカンク、コウモリなどの野生動物の間で感染環が成立している。国内感染例は1957年以降の発生は報告されていない。

症状は、不安・不穏、頭痛、恐水発作、全身痙攣、呼吸麻痺などを呈し、致死性である。

標準予防策で対応するが、患者の唾液や体液などの取り扱いには注意する。感染リスクの高いヒト（ウイルスを取り扱う専門家など）は事前に狂犬病ワクチンの接種を行う。

(8) エムポックス

エムポックスウイルスは、痘そうと同じポックスウイルス科に属し、エンベロープを有し消毒薬に対する抵抗性は比較的低い。1970年にコンゴ民主共和国（旧ザイール）で発見され、自然宿主はアフリカに生息するげっ歯類と考えられている。感染動物に咬まれる、または動物の血液、体液、皮膚病変に接触することで感染する。ヒト-ヒト感染も起こる。2022年から流行地に渡航歴のないエムポックス患者が世界各地で報告されている。国内でも2022年7月の最初の例から2024年12月までに252例の症例が報告されている[271]。

症状は、発熱、倦怠感、頭痛、筋肉痛、リンパ節腫脹などであり、発疹は痘そうと同様に次第に盛り上がり、水疱から膿疱となって痂疲で覆われてくる。

器材の表面の消毒には次亜塩素酸ナトリウムやアルコールが使用される。標準予防策に加えて、飛沫予防策と接触予防策を実施する。

(9) ジカウイルス感染症

フラビウイルス科に属するエンベロープをもつジカウイルスによる感染症である。ネッタイシマカ、ヒトスジシマカなどに刺され、2〜7日の潜伏期を経て発熱、発疹、関節痛、筋肉痛などで発症する。不顕性感染も多い。2015年、ブラジルでジカウイルス感染症の流行があり、感染妊婦からの小頭症などの先天性ジカウイルス感染症が報告された。蚊に刺されにくい服装や忌避剤であるDEETを含む虫よけ剤が有効である。

(10) 重症熱性血小板減少症候群

ブニヤウイルス科に属するエンベロープをもつ重症熱性血小板減少症候群（severe fever with thrombocytopenia syndrome；SFTS）ウイルスによる感染症。SFTSウイルスを保有するマダニに刺咬され、6〜14日の潜伏期を経て発熱、嘔気・嘔吐、頭痛、筋肉痛、リンパ節腫脹などが出現する。白血球減少、血小板減少（10万/μL以下）、肝逸脱酵素の上昇がみられる。2013年から2019年までに434例以上（致死率約15％）が報告されており西日本に多い。春から夏にかけて報告数が増加する。ダニにも忌避剤は有効である。

(11) 腎症候性出血熱

病原体はハンタウイルス（ブニヤウイルス科）が主で、エンベロープを有する。ウイルスのキャリアとしてドブネズミが確認されている。ヒトからヒトへの感染はないが、急性期の患者の血液や尿からはウイルスが分離されている。症状は発熱、出血、腎機能障害である。標準予防策で対応する。

(12) 西部ウマ脳炎

トガウイルス科アルファウイルス属の西部ウマ脳炎ウイルスによる感染症である。西部ウマ脳炎は、

東部ウマ脳炎，ベネズエラウマ脳炎などとともにアメリカ大陸における急性ウイルス性脳炎として重要な疾患である。西部ウマ脳炎ウイルスは，自然界ではイエカと鳥の間で感染環が形成されている。ヒトへの感染はイエカによる。潜伏期間は5〜10日であり，頭痛，発熱，易興奮性，項部硬直，精神異常などがみられる。脳炎を生じると意識障害，麻痺などが出現する。乳児の場合には，痙攣，泉門膨隆などがみられ，回復しても脳に障害を残し，進行性の知能発育不全となる。防蚊対策を行う。

(13) ダニ媒介脳炎

フラビウイルス科フラビウイルス属のダニ媒介脳炎ウイルスによる感染症である。中央ヨーロッパダニ媒介脳炎とロシア春夏脳炎の2型に分けられる。マダニとげっ歯類との間に感染環が形成されている。マダニを介して感染するが，ヤギの乳からも感染する場合がある。インフルエンザ様症状が出現する。髄膜脳炎を生じて痙攣などを呈する者もある。致死率は，中央ヨーロッパダニ媒介脳炎では1〜2%，ロシア春夏脳炎では20%である。防ダニ対策などを行う。

(14) チクングニア熱

病原体はチクングニアウイルス（トガウイルス科アルファウイルス属）であり，エンベロープを有する。感染を媒介するのはネッタイシマカやヒトスジシマカである。ヒトスジシマカは日本にも生息している。これまで主にアフリカとアジア（インド，東南アジア）での流行が報告されている。米国やフランスなどでの散発的な輸入症例の報告もある。蚊とサルの間で感染が繰り返され，ウイルスが循環していると考えられている。

症状は，発熱，関節痛，発疹，頭痛などが主で，症状からはデング熱との鑑別は困難である。防蚊対策が重要であり，皮膚の露出部位には忌避剤が有効である。

(15) デング熱

病原体はデングウイルス（フラビウイルス科フラビウイルス属）であり，エンベロープを有する。感染蚊であるネッタイシマカの媒介によりヒトに感染する。熱帯，亜熱帯地域に分布している。3〜7日の潜伏期を経て，発熱，発疹，頭痛，結膜充血，筋肉痛，関節痛などが出現する。血液所見では白血球減少，血小板減少がみられる。通常は約1週間で軽快するが，重症型であるデング出血熱やデングショック症候群に進展することもある。不顕性感染が50〜80%あると考えられている。標準予防策で対応，患者の血液や体液を介した感染の防止が大切である。

(16) 東部ウマ脳炎

トガウイルス科アルファウイルス属の東部ウマ脳炎ウイルスによる感染症である。東部ウマ脳炎は，西部ウマ脳炎，ベネズエラウマ脳炎などとともにアメリカ大陸における急性ウイルス性脳炎として重要な疾患である。蚊と鳥の間で感染環が維持されており，ヒトへの感染は主にヤブカの刺咬による。潜伏期間は3〜10日であり，発熱などが主症状である。まれに脳炎を発症して，昏睡から死亡に至ることがある。致死率は西部ウマ脳炎より高く約30%である。脳炎は高齢者と15歳以下の若年者で起こりやすい。約半数は神経学的後遺症を残すといわれている。防蚊対策などを行う。

(17) 鳥インフルエンザ（H5N1およびH7N9を除く）

鳥インフルエンザ（H5N1）および鳥インフルエンザ（H7N9）は，ともに二類感染症である。これらを除き，鳥に対して感染性を示すA型インフルエンザウイルスがヒトに感染した場合に四類感染症として届ける。インフルエンザウイルスはオルソミクソウイルス科に属し，エンベロープをもつ。鳥インフルエンザは家禽のなかで伝播されるがまれにヒトにも感染することがある。ヒト-ヒト感染する可能性もあるので接触予防策および飛沫予防策で対応する。

(18) ニパウイルス感染症

病原体はニパウイルス（パラミクソウイルス科パラミクソウイルス亜科ニパウイルス属）であり，

エンベロープを有する。マレーシア，シンガポール，バングラデシュ，インドで報告されている。従来，オオコウモリの体内で生息していたウイルスが，養豚場のブタの尿，唾液，体液などを介してヒトへ感染した。ウマ，イヌ，ネコにも感染する。ブタの尿や鼻汁で汚染されたものによる接触感染である。4〜18日の潜伏期を経て，発熱，頭痛，筋肉痛で始まり見当識障害，痙攣，昏睡などの脳炎症状をきたす。致死率は40％とされている。標準予防策と接触予防策で対応する。

（19）日本脳炎

病原体は日本脳炎ウイルス（フラビウイルス科）であり，エンベロープを有する。感染しているブタなどを吸血したコガタアカイエカがヒトを刺咬することによって感染する。感染しても日本脳炎を発症するのは数百人に1人と考えられている。東南アジア，南アジア，オセアニアの一部などに分布する。日本ではワクチン接種の影響もあり激減しているが2008〜2017年までの10年間で48例が報告されている。6〜16日の潜伏期を経て発熱，頭痛，悪心で発症する。症状が進行すると髄膜刺激症状としての項部硬直やKernig徴候などがみられる。意識障害や昏睡となることもある。

標準予防策で対応するが，患者の血液や体液の取り扱いには注意を要する。

（20）ハンタウイルス肺症候群

ハンタウイルス（ブニヤウイルス科ハンタウイルス属）に属する新種のウイルスがハンタウイルス肺症候群（Hantavirus pulmonary syndrome；HPS）の原因である。エンベロープを有する。このウイルスは南北アメリカに分布し，自然宿主はシカネズミやコメネズミなどである。ネズミの排泄物（尿・便）からウイルスをエアロゾルとして吸入することで感染する。ネズミ咬創や傷口とネズミの体液との接触からも感染する。2週間の潜伏期を経て，発熱，悪寒，咳嗽，筋痛，関節痛，呼吸困難，肺水腫が出現する。致死率は40％。

（21）Bウイルス病

病原体はBウイルス（ヘルペスウイルス科アルファヘルペスウイルス亜科）であり，エンベロープを有する。アカゲザル，カニクイザル，日本ザル，台湾ザルによる咬創や擦過創で感染する。自然宿主のサルは感染すれば単純疱疹様の疾患を呈し，その後ウイルスは後根神経節，三叉神経節に潜伏感染する。2日〜5週の潜伏期を経て外傷部の水疱性病変，疼痛，所属リンパ節腫脹，頭痛，悪心・嘔吐，意識障害，構音障害，脳幹部症状などが出現し，致死率は50％に達する。ヒト-ヒト感染も報告されている。標準予防策と接触予防策で対応する。

（22）ベネズエラウマ脳炎

ベネズエラウマ脳炎ウイルスは，トガウイルス科アルファウイルス属に属し，エンベロープをもつ。ベネズエラウマ脳炎は，東部ウマ脳炎，西部ウマ脳炎などとともにアメリカ大陸における急性ウイルス性脳炎として重要な疾患である。自然界でイエカとげっ歯類の間で感染環が形成されている。ヒトはイエカの刺咬によって感染する。2〜5日の潜伏期を経て，発熱，筋肉痛，項部硬直，痙攣，麻痺，昏睡などを生ずる。脳炎を発症した場合の致死率は20％，全体の0.5〜1％に相当する。標準予防策で対応する。

（23）ヘンドラウイルス感染症

パラミクソウイルス科ニパウイルス属のヘンドラウイルスによる感染症である。オオコウモリが自然宿主である。1994年オーストラリアの厩舎でウマ14頭，ヒト2名（1名死亡）が感染し，このウイルスが分離された。ヒトはウマなどの動物の体液との接触感染によって感染する。発熱や筋肉痛などのインフルエンザ様症状から，出血性肺炎，脳炎，意識障害，痙攣などを呈する。標準予防策と接触感染予防策で対応する。

(24) リッサウイルス感染症

狂犬病ウイルスを除くラブドウイルス科リッサウイルス属のウイルスによる感染である。リッサウイルスはエンベロープを有し，アフリカ，東西ヨーロッパ，オーストラリアのコウモリから分離されている。また，フィリピンとタイのコウモリから抗体が検出されている。国内ではまだウイルスは見つかっていない。ヒトはウイルスを有するコウモリに咬まれたり，引っ搔かれたりすると感染する。20～90日の潜伏期を経て，頭痛，発熱，創傷部の疼痛，全身倦怠感，興奮，狂水症状，精神錯乱，運動麻痺，呼吸障害により2週間以内に死亡する。標準予防策で対応する。感染リスクの高いヒト（ウイルスを取り扱う専門家など）は事前に狂犬病ワクチンの接種を行う。

(25) リフトバレー熱

リフトバレー熱ウイルスは，ブニヤウイルス科フレボウイルス属に属しエンベロープを有する。1931年リフトバレー（ケニア）で初めてウイルスが分離された。感染したヒツジやウシの血液や組織に接触するか，ミルクの摂取で感染する。ウシやヒツジとヤブカ属の間で感染環が形成されており，蚊や吸血ハエなどの吸血性昆虫の刺咬によっても感染する。2～6日の潜伏期間を経て，発熱，頭痛，筋肉痛などのインフルエンザ様症状を呈する。多くは4～7日で回復するものの重症例では出血熱，脳炎，網膜炎を発症することがある。

2 クラミジア性疾患

クラミジアは，0.3～0.4 μm であり一般細菌より小さい。細胞寄生性で，宿主となる細胞のなかでは大型で感染性のない網様体として増殖し，封入体を形成している。

クラミジアに対しては第四級アンモニウム塩，両性界面活性剤，次亜塩素酸ナトリウムおよびアルコールなどを用いる。

また，80℃・10分間などの熱水も有効である（70℃・1分間や80℃・10秒間などの熱水でも有効と推定されるが，安全を見込んで80℃・10分間とする）。

1）疾患の臨床像と感染対策

【オウム病】

病原体はオウム病クラミジア（*Chlamydophila psittaci*）で，インコ，オウム，ハトなどの鳥類を媒介とする感染症である。排泄物に含まれる菌体を吸入することにより感染する。口移しで餌を与えても感染することがある。1～2週の潜伏期を経て，発熱，乾性または湿性の咳嗽，筋肉痛，関節痛，全身倦怠感などが出現する。時に重症化することもある。トリとの接触歴を問診することが重要である。標準予防策で対応する。

3 リケッチア性疾患

リケッチアは細菌より小さく，動物の細胞内で増殖し，無細胞の人工培地では発育できない。発疹性の熱性疾患である。通常は節足動物の腸管に寄生し，ダニ，ノミ，シラミなどによって媒介される。感染予防には，媒介動物であるダニ，ノミ，シラミなどの駆除とともに，衛生環境の改善と清潔保持が大切である。つつが虫病においては，ツツガムシの吸着に注意するほか，予防策はない。Q熱の原因である *Coxiella burnetii* の小型菌体（small cell variant；SCV）は，消毒薬に抵抗性で環境中でも安定であるためヒトに感染させるために必ずしもダニなどのベクターを必要としない。

リケッチアに対しては第四級アンモニウム塩，両性界面活性剤，次亜塩素酸ナトリウムおよびアルコールなどを用いる。

また，80℃・10分間などの熱水も有効である（70℃・1分間や80℃・10秒間などの熱水でも有効と推定されるが，安全を見込んで80℃・10分間とする）。

1）疾患の臨床像と感染対策

（1）Q 熱

Q熱の原因である *C. burnetii* は胎盤で爆発的に増殖する。例えば，ネコの出産に伴い菌を含んだエアロゾルを吸入すると発症する。その他，イヌ，ウシ，ヒツジ，ヤギ，クマ，シカなどが保有し，菌は糞便，尿，乳汁などにも排出される。汚染された非殺菌生乳を介しての接触感染（経口）もある。また，動物とダニなどの節足動物との間に感染環が形成されている。2～3週間の潜伏期を経て，悪寒戦慄を伴う急激な発熱，頭痛，筋肉痛，全身倦怠感などが出現するが，特異的な症状に乏しい。動物との接触歴が重要である。慢性化すると難治性となる。ヒト-ヒト感染はまれである。

（2）つつが虫病

病原体はつつが虫病リケッチア（*Orientia tsutsugamushi*）で，自然界での宿主はダニの一種であるツツガムシである。このツツガムシは，土壌中を生息場所としている。ツツガムシの幼虫は一度だけ哺乳類を刺咬して組織液を吸う。このツツガムシが *O. tsutsugamushi* を保有していればヒトは5～14日の潜伏期を経て感染する。主症状は発熱と頭痛，悪寒，筋肉痛で，発疹は第5病日までに出現し，刺咬創部位の皮膚は，黒褐色の痂皮を形成する。野山に入った既往と刺し口の存在が診断に重要である。標準予防策で対応する。

（3）日本紅斑熱

紅斑熱群リケッチアに属する日本紅斑熱リケッチア（*Rickettsia japonica*）が病原体である。感染マダニの媒介によってヒトが感染する。保菌宿主はネズミ，イヌ，ウサギである。2～8日の潜伏期を経て高熱と頭痛および刺し口の紅斑をきたす。白血球減少，血小板減少，肝機能障害がみられる。DICとなることもあり，ツツガムシより重症化しやすい。標準予防策で対応する。

（4）発しんチフス

病原体である *Rickettsia prowazekii* に感染したコロモジラミがヒトを吸血したときに糞便中にリケッチアを排泄する。シラミに刺されただけでは感染せず，刺された痕を掻くと刺し口に付着している糞の中のリケッチアが擦り込まれて感染する。また，排泄物を塵埃として吸入して感染することもある。6～15日の潜伏期を経て，発熱，頭痛，悪寒，悪心・嘔吐などが発現する。発疹は，発熱後2～5日に体幹に現れ全身に拡がる。ルワンダ，エチオピア，ブルンジなどから報告されている。保菌宿主はヒトとムササビである。標準予防策で対応する。

（5）ロッキー山紅斑熱

紅斑熱群リケッチアに属するロッキー山紅斑熱リケッチア（*Rickettsia rickettsii*）による感染症である。ダニ，げっ歯類，イヌなどの間で感染環が形成されている。ダニの刺咬によりヒトに感染する。3～12日の潜伏期間を経て，発熱，頭痛，発疹，全身倦怠感などで発症する。高熱に引き続き，紅斑が手足などの末梢部から求心性に多発する。点状出血やリンパ節腫脹がみられることがある。中枢神経系症状，不整脈，ショックなどを呈する。米国，カナダ，メキシコ，パナマ，コスタリカ，アルゼンチン，ブラジルなどで報告されている。米国南部では通年みられるが春から秋にかけて集中する。

4 スピロヘータ性疾患

　菌体が螺旋状のものをスピロヘータといい，活発な運動を行う菌群である。四類感染症としてボレリア属菌による回帰熱とライム病が，レプトスピラ属菌によるレプトスピラ症がある。これらはシラミやダニを介して感染する（梅毒の原因菌であるトレポネーマもスピロヘータの一種であるが，梅毒は五類感染症に分類されている）。

　スピロヘータは，消毒薬に対する抵抗性は低い。低水準消毒薬で対応する。0.1～0.5％両性界面活性剤，0.1～0.5％第四級アンモニウム塩を使用する。レプトスピラ属は熱に弱く，50～55℃・30分間の加熱で死滅する。

　環境の消毒が必要な場合は，両性界面活性剤や第四級アンモニウム塩（ベンザルコニウム塩化物など）等を使用する。リネン類は熱水消毒（80℃・10分間），もしくは0.05％（500 ppm）次亜塩素酸ナトリウム溶液に30分間以上浸漬して消毒する。

1）疾患の臨床像と感染対策

（1）回帰熱

　回帰熱には，シラミ媒介性回帰熱とダニ媒介性回帰熱がある。シラミ媒介性回帰熱は，*Borrelia recurrentis* が原因でありシラミによって媒介される。一方，ダニ媒介性回帰熱では *B. duttonii* をはじめいくつかのボレリア属菌が原因となる。5～10日の潜伏期を経て，発熱，頭痛，筋肉痛，関節痛，点状出血，咳嗽などが出現する有熱期が3～7日続き，敗血症を伴わない無熱期に移行する。5～7日の無熱期の後，再び有熱期になる。このサイクルを3～5回繰り返す。保菌動物は，げっ歯類と鳥類などである。ヒト-ヒト感染はない。

（2）ライム病

　原因菌は，ライム病ボレリアであり，わが国では *B. garinii* が，海外では *B. burgdorferi* が多い。野ネズミ，小動物，小鳥が保菌動物でありマダニが媒介する。野山に生息するダニに刺咬されて数日～数週間後に遊走性紅斑が出現する。わが国ではシュルツェマダニが多い。その他，発熱，筋肉痛，関節痛，悪寒，倦怠感などの非特異的症状を伴う。播種期に入ると皮膚症状，神経症状，心疾患，眼症状などが現れる。国内報告例では北海道が圧倒的に多いが，広い範囲に及んでいる。ヒト-ヒト感染はない。

（3）レプトスピラ症

　病原性レプトスピラである *Leptospira interrogans* などが原因菌であり，250種以上もの多くの血清型が存在する。レプトスピラ症には，軽症型の秋疫（あきやみ）から重症型のワイル病（黄疸出血性レプトスピラ症）まである。ドブネズミ，野ネズミなどのげっ歯類を中心に，イヌ，ブタ，ウシなどが保菌動物である。保菌動物は，レプトスピラを腎臓に保菌し尿中に排泄する。汚染された水や土壌を介して，経皮的に体内に侵入して感染する。3～14日の潜伏期を経て，発熱，悪寒，頭痛，筋肉痛，結膜充血などが出現する。ワイル病では黄疸，出血，腎不全などがみられる。世界各地で散発的に認められるが，ブラジル，フィリピン，タイなどで流行があった。わが国では沖縄に多いが，その他の地域でも散発的に報告されている。

5 原虫性疾患

　四類感染症ではマラリアが該当する。マラリア原虫は単細胞生物であり，細胞壁はない。熱帯熱マ

ラリア（*Plasmodium falciparum*），三日熱マラリア（*P. vivax*），四日熱マラリア（*P. malariae*），卵形マラリア（*P. ovale*），サルマラリア（*P. knowlesi*）の5種類が知られている。ハマダラカの体内で増殖した原虫が，唾液腺にスポロゾイドとして移行し，ヒトを刺したときにスポロゾイドがヒトの体内に注入される。その後，肝細胞内で増殖したメロゾイトが赤血球内に侵入して発症する。

1）疾患の臨床像と感染対策

【マラリア】

熱帯熱マラリアがもっとも重篤で死亡することもある。アフリカ，東南アジア，ラテンアメリカ，中東などの熱帯・亜熱帯地域が中心だが，三日熱マラリアは中国や韓国などの温帯地域でも発生する。熱帯熱マラリアでは12日前後（三日熱と卵形では14日前後，四日熱では30日前後）の潜伏期を経て発熱，頭痛，筋肉痛，関節痛，全身倦怠感，悪心・嘔吐などを呈する。感染サイクルはヒト−蚊−ヒトであるが，サルマラリアではサル−蚊−ヒトであると考えられている。

ヒト−ヒト感染はしない。輸血や針刺しで感染した事例が報告されている。

6 蠕虫性疾患

蠕虫は寄生虫の一種で線虫類，吸虫類，条虫類を含む。そのなかで条虫類に属する単包条虫および多包条虫の感染に起因するエキノコックス症が四類感染症にあげられている。エキノコックスの虫卵は消毒薬に対する抵抗性がきわめて高いが，加熱あるいは冷凍処理によって不活性化できる。

1）疾患の臨床像と感染対策

【エキノコックス症】

エキノコックス症による感染症で単包条虫（*Echinococcus granulosus*）と多包条虫（*E. multiocularis*）がある。わが国では北海道に多包条虫が分布している。自然界では，キタキツネやイヌが終宿主，野ネズミが中間宿主である。キツネの糞便中に排出された多包条虫の虫卵が，水や食物，手指を介してヒトに接触感染（経口）する。摂取された虫卵は肝臓で包虫として発育して病巣を形成し，進行すると肝腫大などの症状を起こす。肝以外にも，肺，脳，骨などあらゆる臓器に寄生し，障害を引き起こす。

感染防止としては，野生のキタキツネなどに触らないこと，その糞便で汚染されたものを避けること，有病地では山野の生水を飲まないことなどである。また，飼い犬の感染防止も重要である。エキノコックス症の報告は圧倒的に北海道に多いが，道外からも報告されている。

7 真菌（糸状菌）性疾患

真菌の中では病原性が強いコクシジオイデス症が四類感染症に分類されている。分生子の吸入により感染する。消毒は，次亜塩素酸ナトリウムやアルコールなどが使用できる。

1）疾患の臨床像と感染対策

【コクシジオイデス症】

米国（アリゾナ，カリフォルニア，テキサス，ネバダ，ユタなど），メキシコ，アルゼンチン，ベネズエラなどの半乾燥地域の土壌に生息する真菌 *Coccidioides immitis* の分節型分生子を吸入するこ

とにより発症する。無症状あるいは感冒様症状（原発性肺コクシジオイデス症）で治癒する。その約0.5％は，肺病変から血行性に全身に播種（播種性コクシジオイデス症）して死亡することも多い。その他，原発性皮膚コクシジオイデス症や良性残留性コクシジオイデス症などの病態を呈することもある。わが国でも毎年数例の報告があるがほとんどは海外渡航者であり，渡航歴のない者では輸入綿花からの感染ルートが考えられている。

　細菌検査室における感染防止を考えるうえでもっとも大切なことは，被験者の流行地への渡航歴の把握であり，本感染症が疑わしいものについては培養の段階から専門家に依頼する必要がある。一般の細菌検査室で本菌を不用意に培養した場合，分節型分生子の吸入による検査室内感染が起こりやすく，きわめて危険である。

8 芽胞形成菌性疾患

　芽胞形成菌のなかで，四類感染症に含まれるものは炭疽とボツリヌス症のみである。細菌芽胞で汚染された医療機器については，安価であれば廃棄して焼却してもよい。再生処理する場合も，洗浄・滅菌が基本である。滅菌できない医療機器を消毒する場合は，グルタラール，過酢酸および次亜塩素酸ナトリウムなどが使用できる。グルタラールの副作用には，呼吸器障害，粘膜障害があるので取り扱いには注意する。欧米では，1,000 ppm の二酸化塩素や6％以上の安定化過酸化水素なども使用されている。

1) 疾患の臨床像と感染対策
(1) 炭　疽

　病原体である炭疽菌（*Bacillus anthracis*）は土壌中に存在し，創傷への直接的な付着あるいは吸入や経口的に炭疽菌芽胞が体内に侵入して発病する。わが国でも起こり得るが，ギリシャ，トルコ，イラン，パキスタン，南アメリカ，中央アジア，中央アフリカなどに多い。炭疽菌芽胞の侵入門戸により，皮膚炭疽，腸炭疽，肺炭疽に分けられる。皮膚炭疽が95％を占める。腸炭疽は，炭疽菌芽胞に汚染された食品を摂取することによって発症する。悪心・嘔吐，発熱，腹痛，血性の下痢などが出現する。肺炭疽は，動物由来の炭疽菌芽胞を吸入することにより発症し，まれだが重篤となる。発熱，悪寒，頭痛などのインフルエンザ様症状に加えて，呼吸困難からチアノーゼを呈して死亡する。

　医療機器を再生する場合，0.1％（1,000 ppm）次亜塩素酸ナトリウム，2～3.5％グルタラールまたは0.3％過酢酸などに浸漬する。環境の消毒には1％（10,000 ppm）次亜塩素酸ナトリウムを用いるか，酢添加の0.5％次亜塩素酸ナトリウムを用いる。酢添加の0.5％次亜塩素酸ナトリウムの作成方法は，5％次亜塩素酸ナトリウムと水と酢をそれぞれ1：8：1の割合で混合する。

(2) ボツリヌス症

　病原体は，ボツリヌス毒素を産生するボツリヌス菌（*Clostridium botulinum*）または *C. butyricum*，*C. baratii* などである。

　病型は食餌性ボツリヌス症，創傷ボツリヌス症，乳児ボツリヌス症，成人腸管定着型ボツリヌス症，その他の5つに分類される。いずれにおいても，本菌が産生する菌体外毒素による神経機能の障害のために弛緩性麻痺が生じ，嚥下困難，呼吸麻痺などの症状を呈する。

　食餌性ボツリヌス症は食品中でボツリヌス菌が増殖して産生した毒素を経口的に摂取することによって発症する。創傷ボツリヌスは，創部（または注射部位）から侵入した菌が皮下組織などで増殖し，産生した毒素により発症する。

乳児ボツリヌス症と小児および成人の腸管定着型（乳児型）ボツリヌス症は，芽胞が混入した食品を摂取することにより，腸管内で芽胞が発芽・増殖し，産生した毒素の作用によって発症する。汚染された蜂蜜が乳児ボツリヌス症の原因になることがあるので，1歳未満の乳児には蜂蜜を与えるべきでない。

医療機器の再生には洗浄後，2〜3.5％グルタラールに30分間浸漬する。または，0.3％過酢酸に10分間の浸漬，0.1％（1,000 ppm）次亜塩素酸ナトリウムに1時間以上浸漬する。

❾ その他の細菌性疾患

芽胞形成菌以外の細菌の中で四類感染症に分類されたものは，鼻疽，ブルセラ症，野兎病，類鼻疽，レジオネラ症の5つの疾患のみである。

1）芽胞形成菌以外の細菌の消毒

芽胞形成菌以外の細菌は消毒薬に対する抵抗性が低い。したがって，生体毒性の低い副作用の少ない消毒薬が適応であり，生体には生体消毒薬を，環境には環境消毒薬を選択する。

（1）器　材
熱水（80℃・10分間など）や，第四級アンモニウム塩（ベンザルコニウム塩化物など），両性界面活性剤，次亜塩素酸ナトリウムおよびアルコールなどから選択する。

（2）環　境
患者環境の床は通常の清掃を行う。局所的な汚染に対して消毒薬が適用される。両性界面活性剤もしくは第四級アンモニウム塩（ベンザルコニウム塩化物など）が選択される。日常的に手が触れる環境表面はアルコールにて定期的に清拭消毒を行う。

（3）リネン類
80℃・10分間の熱水洗濯，もしくは0.05％（500 ppm）次亜塩素酸ナトリウム液に30分間浸漬する。

2）疾患の臨床像と感染対策

（1）鼻　疽
鼻疽菌（*Burkholderia mallei*）による感染症である。*B. mallei* はグラム陰性ブドウ糖非発酵短桿菌で土壌では生息できない。ウマ，ロバ，ラバなどの感染症であるがヒトにも感染する。感染動物の分泌物の吸入あるいは分泌物との接触で感染する。通常，潜伏期間は14日以内で，肺膿瘍，皮膚膿瘍，敗血症状などを呈する。届出が始まった2007年から2019年現在までに報告例はない。感染症法で特定病原体第三種に指定されており，BSL3実験室でしか扱えない。

（2）ブルセラ症
ブルセラ属菌（*Brucella melitensis, B. abortus, B. suis, B. canis*）による感染である。自然宿主はヤギ，ブタ，ヒツジ，ウシなどの家畜類で，感染動物の血液や肉，非加工乳製品との接触もしくは汚染エアロゾルの吸引で感染する。動物依存度の強い地中海地域，西アジア，アフリカ，ラテンアメリカなどの地域で報告が多い。わが国では毎年数例の報告がなされている。症状は，発熱，夜間発汗，体重減少，倦怠感などの全身症状が主体である。標準予防策を適用する。

（3）野兎病
病原体はグラム陰性小短桿菌である野兎病菌（*Francisella tularensis*）である。人獣共通感染症で野兎や，野生げっ歯類との接触，解体，調理時に皮膚や粘膜から感染する。ダニやアブなどの節足動

物を介した感染や汚染塵芥，河川水から感染することもある。野兎病は，北半球に広く分布しており散発的に発生がみられる。わが国でも以前は東北地方を中心に発生していたが，現在はきわめてまれな疾患となっている。しかし，野兎病菌は今日でも野生動物の間で維持されていると考えられている。症状は感冒様症状で，皮膚や粘膜の潰瘍を伴うこともある。リンパ節腫大や敗血症を呈することもある。診断は皮内反応，血清凝集反応にて行う。

芽胞を形成しないため，消毒薬に対する抵抗性は低い。ヒト-ヒト感染の確実な証拠はなく標準予防策で対応する。

(4) 類鼻疽

類鼻疽菌（*Burkholderia psuedomallei*）による感染症である。*B. psuedomallei* は，タイ，ビルマ，マレーシア，シンガポール，ベトナムなどの土壌や水に分布する。潜伏期間は，通常3〜21日であるが長いものは数年にわたることもある。リンパ節炎，発熱，気管支炎，肺炎などを発症する。HIV感染症，腎不全，糖尿病などの基礎疾患を有する場合には，敗血症性ショックを生じることがある。慢性となった場合には，関節，肺，リンパ節などに膿瘍を形成する。

(5) レジオネラ症

病原体は *Legionella pneumophila* を代表とするレジオネラ属菌である。土壌や河川に生息する菌で，菌を含む塵埃やエアロゾルを吸入することにより発症する。温泉，クーリングタワー，循環式浴槽，シャワー，加湿器，ネブライザーなどからも感染する。レジオネラはバイオフィルム中のアメーバに寄生して増殖するが，アメーバは細菌よりも消毒薬に抵抗性なので，バイオフィルムを物理的に除去することも重要である。潜伏期は2〜10日で，発熱，呼吸困難，頭痛，意識障害，神経症状などがみられる。軽症型はポンティアック熱といわれ，感冒様症状で治癒するが，診断されることは少ない。ヒト-ヒト感染はしない。

クーリングタワーの消毒は，塩素（5〜10 ppm）や2〜4％の過酸化水素を2〜3時間循環させる方法がある。病院内のシャワー設備が感染源であった場合には，65℃以上の温湯を5分間以上流すなどの方法が推奨されている。

Ⅵ 五類感染症

　五類感染症とは，国が感染症の発生動向の調査を行い，その結果などに基づいて必要な情報を国民一般や医療関係者に情報提供・公開していくことによって，発生・まん延を防止すべき感染症である（p.5，表2）。

1）患者への対応
　常に標準予防策を遵守する。疾患特有の感染経路を遮断する目的で感染経路別予防策を付加して対応する。

　（1）空気感染
　適切な空調，換気，高性能濾過マスクを着用する。
　（2）飛沫感染
　患者に接する医療従事者は，医療用マスクを着用する。
　（3）接触感染
　手指消毒と清掃の徹底。患者に接する医療従事者は手袋，プラスチックエプロン，ガウンなどを着用する。

2）手術対策と医療従事者への注意
　（1）空気予防策
　①陰圧設定の手術室を使用する
　②麻酔回路にはメンブランフィルターを付ける
　③医療従事者はN95微粒子用マスクを着用する
　④麻しんや水痘では職員の抗体検査やワクチン接種についても考慮し，抗体のない者は担当を外す
　（2）飛沫予防策
　①麻酔回路にはメンブランフィルターを着用する
　②医療従事者は医療用マスクを着ける
　③職員の抗体検査の実施
　（3）接触予防策
　①手袋で対応する。汚染物に触れた後は手袋を交換する
　②ディスポーザブルのガウンを着る
　③清掃などの日常的な環境の清浄化を徹底する
　（4）血液・体液曝露対策の基本
　①手洗いと手指消毒
　②手袋，プラスチックエプロン，ゴーグルなどでバリアプリコーション
　③床などが血液汚染した場合は次亜塩素酸ナトリウムで局所的に清拭
　④血液や体液汚染のリネンは密封して搬送
　⑤針刺し防止策の実施
　⑥感染性廃棄物の適正処理
　⑦創のある皮膚は滅菌ドレッシング材で保護

3）汚染物の滅菌・消毒

　①肝炎ウイルスの消毒（p. 102 参照）
　②ヒト免疫不全ウイルス（HIV）の消毒（p. 102 参照）
　③その他のウイルスの消毒

　インフルエンザウイルス，狂犬病ウイルス，麻しんウイルス，黄熱ウイルスともにエンベロープを有しており，消毒薬に対する抵抗性は低い。熱に対する抵抗性も，56℃・30 分間でウイルスのカプシド（殻蛋白）が変性して不活性化される。

　80℃・10 分間などの熱水や，フタラールや過酢酸などの高水準消毒薬，次亜塩素酸ナトリウムやアルコールなどの中水準消毒薬が有効である。

Column 新型コロナウイルス感染症（COVID-19）[272, 273]

　中華人民共和国湖北省武漢市から最初に特定された症例の発症日は2019年12月1日で，12月末にかけて新型コロナウイルス関連肺炎に罹患した患者が相次いで発生したことが伝えられた。
　これまでコロナウイルスは，ヒトにまん延しているかぜのウイルス4種類と，動物から感染する重症肺炎ウイルス2種類が知られていた。重症肺炎型は重症急性呼吸器症候群コロナウイルス（SARS-CoV）と中東呼吸器症候群コロナウイルス（MERS-CoV）である。新型コロナウイルスは，国際ウイルス分類委員会によりSARS-CoV-2と命名された。
　新型コロナウイルス感染症においても，感染経路はすべて明らかになっていないもののSARSと同様の対応が求められる。

1）感染経路[274, 275]

　SARS-CoV-2の起源はコウモリと考えられており，センザンコウ，フェレット，ミンクなどが中間宿主になっている。今回のパンデミックの始まりが，コウモリからヒトなのか，中間宿主となっている動物からヒトに感染したのかは明らかになっていない。一方，ヒトからネコ，イヌ，トラ，ライオンに伝播したと思われる事例が報告されている。ヒト-ヒト感染の主な感染経路は，飛沫感染とエアロゾル感染である。接触感染のルートも想定されるがヒト-ヒト感染が排除されて環境から感染したと考えられる事例は少ない。
　①飛沫感染，接触感染により動物からヒトへ，その後はヒト-ヒト感染の事例が主体である
　②エアロゾル感染も疑われており，特定の医療行為（気管挿管・抜管，気管切開術，心肺蘇生，気管支鏡検査，誘発採痰など）を行うときは，N95微粒子用マスクの着用が必要になる
　③閉鎖空間（航空機の中など）においてはエアロゾルによる感染の可能性も考慮しておくほうがよい

2）患者環境の対策

　陰圧室または個室での管理が必要である。また，患者搬送時などには患者に医療用マスクを着用させる。

3）医療従事者への注意

　新型コロナウイルスはエンベロープをもつウイルスであり，消毒薬抵抗性は高くない。感染源ならびに感染経路は完全に解明されていないが，標準予防策に加えて飛沫予防策，接触予防策を徹底し，器具や病室環境の消毒などが必要とされる。
　環境清掃・消毒の実施においては，基本的には医療用マスクの着用が求められているが，浮遊微粒子の飛散を考慮して顔に密着する高性能のマスクを着用するなど，個人防護具を適切に着用して行う必要がある。消毒薬の散布，噴霧使用は行うべきではない。

4）汚染物の消毒・滅菌[276-284]（表49）

（1）対　象
①患者の喀痰などの分泌物

②患者が使用した物品や病室

（2）消　毒
喀痰は焼却処分とする。患者の体液や排泄物などの消毒には次亜塩素酸ナトリウムやアルコール（消毒用エタノール，70％イソプロパノールなど）を用いる。

また，鋼製小物やリネンなどの消毒には，熱水（80℃・10分間など）がもっとも適している。

表49　新型コロナウイルスの消毒例

床頭台 オーバーテーブル	・アルコールで清拭 ・0.1～0.5％（1,000～5,000 ppm）次亜塩素酸ナトリウムで清拭
床	・0.1～0.5％（1,000～5,000 ppm）次亜塩素酸ナトリウムで清拭
呼吸器関連の器材	・ウォッシャーディスインフェクタ（80℃・3分間など） ・0.01～0.02％（100～200 ppm）次亜塩素酸ナトリウムへ30～60分間浸漬
鋼製小物	・ウォッシャーディスインフェクタ（93℃・10分間など） ・2～3％グルタラールや0.55％フタラールへ10分間浸漬[*1] ・0.3％過酢酸へ5分間浸漬[*2]
リネン	・熱水洗濯（80℃・10分間など） ・0.05～0.1％（500～1,000 ppm）次亜塩素酸ナトリウムへ30分間浸漬
手　指	・速乾性擦式アルコール製剤

[*1] 濃度表示はアルコール系はvol（v/v）％，その他ではw/v％
[*2] 金属腐食性の視点から10分間を超える浸漬は行わない

■文献

1) Centers for Disease Control and Prevention : Management of patients with suspected viral hemorrhagic fever. MMWR 1988 ; 37（S-3）: 1-15.
2) Centers for Disease Control and Prevention : Update : management of patients with suspected viral hemorrhagic fever-United States. MMWR 1995 ; 44 : 475-479.
3) 厚生労働省：エボラ出血熱，感染症法に基づく医師及び獣医師の届出について．https://www.mhlw.go.jp/bunya/kenkou/kekkaku-kansenshou11/01-01-01.html
4) Garibaldi BT, Ruparelia C, Shaw-Saliba K, et al : A novel personal protective equipment coverall was rated higher than standard Ebola virus personal protective equipment in terms of comfort, mobility and perception of safety when tested by health care workers in Liberia and in a United States biocon-

tainment unit. Am J Infect Control 2019 ; 47 : 298-304.
5) Oji MO, Haile M, Baller A, et al : Implementing infection prevention and control capacity building strategies within the context of Ebola outbreak in a "Hard-to-Reach" area of Liberia. Pan Afr Med J 2018 ; 31 : 107.
6) Hollingshead CM, Swinkels HM, Shah SU : Ebola Virus Disease. StatPearls [Internet], 2024.
7) Breuer J, Jeffries DJ : Control of viral infections in hospitals. J Hosp Infect 1990 ; 16 : 191-221.
8) Coates D, Hutchinson DN : How to produce a hospital disinfection policy. J Hosp Infect 1994 ; 26 : 57-68.
9) Rutala WA : APIC guideline for selection and use of disinfectants. 1994, 1995, and 1996 APIC Guidelines Committee. Association for Professionals in Infection Control and Epidemiology, Inc. Am J Infect Control 1996 ; 24 : 313-342.
10) Ayliffe GAJ, Coates D, Hoffman PN : Chemical disinfection in hospitals. 2nd ed. London : Public Health Laboratory Service, 1993.
11) Ayliffe GAJ, Lowbury EJL, Geddes AM, et al : Control of hospital infection : a practical handbook. 3rd ed. London : Chapman & Hall Medical, 1993.
12) Reynolds JEF : Martindale the extra pharmacopoeia. 31st ed. London : The Pharmaceutical Press, 1996.
13) Judson SD, Munster VJ : Nosocomial transmission of emerging viruses via aerosol-generating medical procedures. Viruses 2019 ; 11 : 940.
14) Cutts TA, Robertson C, Theriault SS, et al : Efficacy of microbicides for inactivation of Ebola-Makona virus on a non-porous surface : a targeted hygiene intervention for reducing virus spread. Sci Rep 2020 ; 10 : 15247.
15) Huang Y, Xiao S, Song D, et al : Efficacy of disinfectants for inactivation of Ebola virus in suspension by integrated cell culture coupled with real-time RT-PCR. J Hosp Infect 2022 ; 125 : 67-74.
16) Huang Y, Xiao S, Song D, et al : Evaluation and comparison of three virucidal agents on inactivation of Nipah virus. Sci Rep 2022 ; 12 : 11365.
17) Jonsdottir HR, Zysset D, Lenz N, et al : Virucidal activity of three standard chemical disinfectants against Ebola virus suspended in tripartite soil and whole blood. Sci Rep 2023 ; 13 : 15718.
18) Ali E, Benedetti G, Van den Bergh R, et al : Distribution of household disinfection kits during the 2014-2015 Ebola virus outbreak in Monrovia, Liberia: The MSF experience. Plos Negl Trop Dis 2020 ; 14 : e0008539.
19) Cook BW, Cutts TA, Nikiforuk AM, et al : Evaluating environmental persistence and disinfection of the Ebola virus Makona variant. Viruses 2015 ; 7 : 1975-1986.
20) 厚生労働省：マールブルグ病，感染症法に基づく医師及び獣医師の届出について．https://www.mhlw.go.jp/bunya/kenkou/kekkaku-kansenshou11/01-01-06.html
21) Hunter N, Rathish B : Marburg Fever. StatPearls [Internet], 2023.
22) Bauer MP, Timen A, Vossen ACTM, et al : Marburg haemorrhagic fever in returning travellers: an overview aimed at clinicians. Clin Microbiol Infect 2019 ; 21 : e28-e31.
23) 厚生労働省：クリミア・コンゴ出血熱，感染症法に基づく医師及び獣医師の届出について．https://www.mhlw.go.jp/bunya/kenkou/kekkaku-kansenshou11/01-01-02.html
24) Shahhosseini N, Wong G, Babuadze G, et al : Crimean-Congo Hemorrhagic Fever Virus in Asia, Africa and Europe. Microorganisms 2021 ; 9 :1907.
25) Fisher-Hoch SP, Khan JA, Rehman S, et al : Crimean Congo-haemorrhagic fever treated with oral ribavirin. Lancet 1995 ; 346 : 472-475.
26) Fletcher TE, Gulzhan A, Ahmeti S, et al : Infection prevention and control practice for Crimean-Congo hemorrhagic fever : a multi-center cross-sectional survey in Eurasia. PloS One 2017 ; 12 : e0182315.
27) Al-Abri SS, Hewson R, Al-Kindi H, et al : Clinical and molecular epidemiology of Crimean-Congo hemorrhagic fever in Oman. PloS Negl Trop Dis 2019 ; 13 : e0007100.
28) Blacksell SD, Dhawan S, Kusumoto M, et al : The biosafety research road map: The search for evi-

dence to support practices in the laboratory-Crimean Congo haemorrhagic fever virus and Lassa virus. Appl Biosaf 2023 ; 28 : 216-229.
29) Bartolini B, Gruber CE, Koopmans M, et al : Laboratory management of Crimean-Congo haemorrhagic fever virus infections : perspectives from two European networks. Euro Surveill 2019 ; 24 : 1800093.
30) 厚生労働省：ラッサ熱，感染症法に基づく医師及び獣医師の届出について．https://www.mhlw.go.jp/bunya/kenkou/kekkaku-kansenshou11/01-01-07.html
31) Garry RF : Lassa fever - the road ahead. Nat Rev Microbiol 2023 ; 21 : 87-96.
32) Grahn A, Bråve A, Tolfvenstam T, et al : Absence of nosocomial transmission of imported Lassa Fever during use of standard barrier nursing methods. Emerg Infect Dis 2018 ; 24 : 978-987.
33) Fisher-Hoch SP, Price ME, Craven RB, et al : Safe intensive-care management of a severe case of Lassa fever with simple barrier nursing techniques. Lancet 1985 ; 326 : 1227-1229.
34) Dan-Nwafor CC, Ipadeola O, Smout E, et al : A cluster of nosocomial Lassa fever cases in a tertiary health facility in Nigeria : description and lessons learned, 2018. Int J Infect Dis 2019 ; 83 : 88-94.
35) Ijarotimi IT, Ilesanmi OS, Aderinwale A, et al : Knowledge of Lassa fever and use of infection prevention and control facilities among health care workers during Lassa fever outbreak in Ondo State, Nigeria. Pan Afr Med J 2018 ; 30 : 56.
36) Shaffer M, Fischer RJ, Gallogly S, et al : Environmental persistence and disinfection of Lassa virus. Emerg Infect Dis 2023 ; 29 : 2285-2291.
37) Obionu IM, Ochu CL, Ùkponu W, et al : Evaluation of infection prevention and control practices in Lassa fever treatment centers in north-central Nigeria during an ongoing Lassa fever outbreak. J Infect Prev 2021 ; 22 : 275-282.
38) 厚生労働省：南米出血熱，感染症法に基づく医師及び獣医師の届出について．https://www.mhlw.go.jp/bunya/kenkou/kekkaku-kansenshou11/01-01-04.html
39) de Filippis AM, Nogueira RM, Schatzmayr HG, et al : Outbreak of jaundice and hemorrhagic fever in the Southeast of Brazil in 2001 : detection and molecular characterization of yellow fever virus. J Med Virol 2001 ; 68 : 620-627.
40) Delgado S, Erickson BR, Agudo R, et al : Chapare virus, a newly discovered arenavirus isolated from a fetal hemorrhagic fever case in Bolivia. PLoS Pathog ; 4 : e1000047.
41) 厚生労働省健康局結核感染症課監：詳解感染症の予防及び感染症の患者に対する医療に関する法律．四訂版．東京：中央法規出版，2016.
42) 東京都衛生局新たな感染症対策委員会：東京都感染症マニュアル2018．東京：東京都情報連絡室，2018.
43) Garner JS : Guideline for isolation precautions in hospitals. Infect Control Hosp Epidemiol 1996 ; 17 : 53-80.
44) 厚生労働省：ペスト，感染症法に基づく医師及び獣医師の届出について．https://www.mhlw.go.jp/bunya/kenkou/kekkaku-kansenshou11/01-01-05.html
45) Barbieri R, Signoli M, Chevé D, et al : Yersinia pestis: the natural history of Plague. Clin Microbiol Rev 2020 ; 34 : e00044-19.
46) Gardner JF, Peel MM : Introduction to sterilization, disinfection and infection control. 2nd ed. Melbourne : Churchill Livingstone, 1991.
47) Ayliffe GAJ, Collins BJ, Taylor LJ : Hospital-acquired infection. 2nd ed. Oxford : Butterworth Heinemann, 1993.
48) American Medical Association : Drug evaluations annual 1995. Philadelphia : WB Saunders, 1995.
49) Center for Disease Control Smallpox Response Plan & Guidelines. https://www.cdc.gov/smallpox/index.html
50) Sidwell RW, Dixon GJ, Westbrook L, et al : Quantitative studies on fabrics as disseminators of viruses. IV. virus transmission by dry contact of fabrics. Appl Microbiol 1970 ; 19 : 950-954.
51) Wehrle PF, Posch J, Richter KH, et al : An airborne outbreak of smallpox in a German hospital and its significance with respect to other recent outbreaks in Europe. Bull World Health Organ 1970 ; 43 :

669-679.

52) Rosenbloom M, Leikin JB, Vogel SN, et al : Biological and chemical agents : a brief synopsis. Am J Ther 2002 ; 9 : 5-14.

53) Henderson DA, Inglesby TV, Bartlett JG, et al : Smallpox as a biological weapon : medical and public health management. Working Group on Civilian Biodefense. JAMA 1999 ; 281 : 2127-2137.

54) Downie AW, Meiklejohn M, St Vincent L, et al : The recovery of smallpox virus from patients and their environment in a smallpox hospital. Bull World Health Organ 1965 ; 33 : 615-622.

55) Meyer H, Ehmann R, Smith GL : Smallpox in the post-eradication era. Viruses 2020 ; 12 : 138.

56) Wehrle PF, Posch J, Richter KH, et al : An airborne outbreak of smallpox in a German hospital and its significance with respect to other recent outbreaks in Europe. Bull World Health Organ 1970 ; 43 : 669–679.

57) 厚生労働省：2023年 結核登録者情報調査年報集計結果について．
https://www.mhlw.go.jp/stf/seisakunitsuite/bunya/0000175095_00011.html

58) Catanzaro A : Nosocomial tuberculosis. Am J Respir Dis 1982 ; 125 : 559-562.

59) Rutala WA, Weber DJ, the Healthcare Infection Control Practices Advisory Committee : Guideline for disinfection and sterilization in healthcare facilities. Centers for Disease Control and Prevention, 2008.
https://www.cdc.gov/infection-control/media/pdfs/Guideline-Disinfection-H.pdf

60) Griffiths PA, Babb JR, Fraise AP : Mycobactericidal activity of selected disinfectants using a quantitative suspension test. J Hosp Infect 1999 ; 41 : 111-121.

61) Greogory AW, Schaalje GB, Smart JD, et al : The mycobactericidal efficacy of orthophthalaldehyde and the comparative resistances of *Mycobacterium bovis*, *Mycobacterium terrae*, and *Mycobacterium chelonae*. Infect Control Hosp Epidemiol 1999 ; 20 : 324-330.

62) Best M, Sattar SA, Springthorpe VS, et al : Efficacies of selected disinfectants against *Mycobacterium tuberculosis*. J Clin Micobiol 1990 ; 28 : 2234-2239.

63) Rutala WA, Cole EC, Wannamaker NS, et al : Inactivation of *Mycobacterium tuberculosis* and *Mycobacterium bovis* by 14 hospital disinfectants. Am J Med 1991 ; 91 : 267S-271S.

64) Ascenzi JM, Ezzell RJ, Wendt TM : A more accurate method for measurement of tuberculocidal activity of disinfectants. Appl Environ Microbiol 1987 ; 53 : 2189-2192.

65) Coates D : Disinfection of spills of body fluids : how effective is a level of 10,000ppm available chlorine? J Hosp Infect 1991 ; 18 : 319-322.

66) 立脇憲一，茂籠邦彦，杉山繁男，他：両性界面活性剤「Tego-51」の各種細菌に対する消毒効果．日防菌防黴会誌 1981；9：465-469.

67) 市川意子，美誉志康：各種消毒薬の結核菌に対する殺菌効果の検討．日防菌防黴会誌 1980；4：7-17.

68) 厚生労働省：鳥インフルエンザA（H5N1）について．
https://www.mhlw.go.jp/content/10900000/001183463.pdf

69) 厚生労働省：鳥インフルエンザA（H7N9）について．
https://www.mhlw.go.jp/content/10900000/000830822.pdf

70) Xu CL, Dong LB, Xin L, et al : Human avail influenza A (H5N1) virus infection in China. Sci China C Life Sci 2009 ; 52 : 407-411.

71) Chen H : H5N1 avian influenza in China. Sci China C Life Sci 2009 ; 52 : 419-427.

72) Dinh PN, Long HT, Tien NTK, et al : Risk factors for human infection with avian influenza A H5N1, Vietnam, 2004. Emerg Infect Dis 2006 ; 12 : 1841-1847.

73) Shi J, Zeng X, Cui P, et al : Alarming situation of emerging H5 and H7 avian influenza and effective control strategies. Emerg Microbes Infect 2023 ; 12 : 2155072.

74) World Health Organization : Avian influenza, including influenza A (H5N1), in humans : WHO interim infection control guideline for health care facilities. 2007.

75) Wang H, Jiang C : Avian influenza H5N1: an update on molecular pathogenesis. Sci China C Life Sci 2009 ; 52 : 459-463.

76) Rice EW, Adcock NJ, Sivaganesan M, et al : Chlorine inactivation of highly pathogenic avian influenza

virus (H5N1). Emerg Infect Dis 2007 ; 13 : 1568-1570.
77) Sattar SA, Springthorpe VS, Karim Y, et al : Chemical disinfection of non-porous inanimate surfaces experimentally contaminated with four human pathogenic viruses. Epidemiol Infect 1989 ; 102 : 493-505.
78) Leung GM, Quah S, Ho LM, et al : A tale of two cities: community psychobehavioral surveillance and related impact on outbreak control in Hong Kong and Singapore during the severe acute respiratory syndrome epidemic. Infect Control Hosp Epidemiol 2004 ; 25 : 1033-1041.
79) 厚生労働省：重症急性呼吸器症候群（SARS）関連情報．SARSの発生状況について．
https://www.mhlw.go.jp/bunya/kenkou/kekkaku-kansenshou05/03.html
80) Brady MT, Evans J, Cuartas J : Survival and disinfection of parainfluenza viruses on environmental surfaces. Am J Infect Control 1990 ; 18 : 18-23.
81) Hui DS : Severe acute respiratory syndrome（SARS）: lessons learnt in Hong Kong. J Thorac Dis 2013 ; 5（Suppl 2）: S122-S126.
82) Graham RL, Baric RS : Recombination, reservoirs, and the modular spike: mechanisms of coronavirus cross-species transmission. J Virol 2010 ; 84 : 3134-3146.
83) Yu IT, Li Y, Wong TW, et al : Evidence of airborne transmission of the severe acute respiratory syndrome virus. N Engl J Med 2004 ; 350 : 1731-1739.
84) Seto WH, Tsang D, Yung RW, et al : Effectiveness of precautions against droplets and contact in prevention of nosocomial transmission of severe acute respiratory syndrome（SARS）. Lancet 2003 ; 361 : 1519-1520.
85) Shi X, Gong E, Gao D, et al : Severe acute respiratory syndrome associated coronavirus is detected in intestinal tissues of fatal cases. Am J Gastroenterol 2005 ; 100 : 169-176.
86) Hota B : Contamination, disinfection, and cross-colonization : are hospital surfaces reservoirs for nosocomial infection? Clin Infect Dis 2004 ; 39 : 1182-1189.
87) Fung CP, Hsieh TL, Tan KH, et al : Rapid creation of a temporary isolation ward for patients with severe acute respiratory syndrome in Taiwan. Infect Control Hosp Epidemiol 2004 ; 25 : 1026-1032.
88) Rabenau HF, Kampf G, Cinatl J, et al : Efficacy of various disinfectants against SARS coronavirus. J Hosp Infect 2005 ; 61 : 107-111.
89) Tan YM, Chow PK, Tan BH, et al : Management of inpatients exposed to an outbreak of severe acute respiratory syndrome（SARS）. J Hosp Infect 2004 ; 58 : 210-215.
90) Kariwa H, Fujii N, Takashima I : Inactivation of SARS coronavirus by means of povidone-iodine, physical conditions, and chemical reagents. Jpn J Vet Res 2004 ; 52 : 105-112.
91) Al-Dorzi HM, Aldawood AS, Khan R, et al : The critical care response to a hospital outbreak of Middle East respiratory syndrome coronavirus（MERS-CoV）infection : an observational study. Ann Intensive Care 2016 ; 6 : 101.
92) 厚生労働省：中東呼吸器症候群（MERS），感染症法に基づく医師及び獣医師の届出について．
https://www.mhlw.go.jp/bunya/kenkou/kekkaku-kansenshou11/01-12-02.html
93) Kim JY, Song JY, Yoon YK, et al : Middle East respiratory syndrome infection control and prevention guideline for healthcare facilities. Infect Chemother 2015 ; 47 : 278-302.
94) Assiri A, McGeer A, Perl TM, et al : Hospital outbreak of Middle East respiratory syndrome coronavirus. N Engl J Med 2013 ; 369 : 407-416.
95) World Health Organization : Global Alert and Response（GAR），Middle East respiratory syndrome coronavirus（MERS-CoV）- update. 26 April 2014.
96) Memish ZA, Mishra N, Olival KJ, et al : Middle East respiratory syndrome coronavirus in bats, Saudi Arabia. Emerg Infect Dis 2013 ; 19 : 1819-1823.
97) Hui DS, Azhar EI, Kim YJ, et al : Middle East respiratory syndrome coronavirus: risk factors and determinants of primary, household, and nosocomial transmission. Lancet Infect Dis 2018 ; 18 : e217-e227.
98) Mohd HA, Al-Tawfiq JA, Memish ZA : Middle East respiratory syndrome coronavirus（MERS-CoV）origin and animal reservoir. Virol J 2016 ; 13 : 87.

99) Leclercq I, Batéjat C, Burguière AM, et al : Heat inactivation of the Middle East respiratory syndrome coronavirus. Influenza Other Respir Viruses 2014 ; 8 : 585-586.
100) Song JY, Cheong HJ, Choi MJ, et al : Viral shedding and environmental cleaning in Middle East respiratory syndrome coronavirus infection. Infect Chemother 2015 ; 47 : 252-255.
101) Aboubakr HA, Sharafeldin TA, Goyal SM : Stability of SARS-CoV-2 and other coronaviruses in the environment and on common touch surfaces and the influence of climatic conditions : A review. Transbound Emerg Dis 2021 ; 68 : 296-312.
102) Kampf G, Voss A, Scheithauer S : Inactivation of coronaviruses by heat. J Hosp Infect 2020 ; 105 : 348-349.
103) Kampf G, Todt D, Pfaender S, et al : Persistence of coronaviruses on inanimate surfaces and their inactivation with biocidal agents. J Hosp Infect 2020 ; 104 : 246-251.
104) Henwood AF : Coronavirus disinfection in histopathology. J Histotechnol 2020 ; 43 : 102-104.
105) Wu S, Wang Y, Jin X, et al : Environmental contamination by SARS-CoV-2 in a designated hospital for coronavirus disease 2019. Am J Infect Control 2020 ; 48 : 910-914.
106) Subpiramaniyam S : Outdoor disinfectant sprays for the prevention of COVID-19 : Are they safe for the environment? Sci Total Environ 2021 ; 759 : 144289.
107) Wiktorczyk-Kapischke N, Grudlewska-Buda K, Wałecka-Zacharska E, et al : SARS-CoV-2 in the environment-Non-droplet spreading routes. Sci Total Environ 2021 ; 770 : 145260.
108) Bolyard EA, Tablan OC, Williams WW, et al : Guideline for infection control in health care personnel, 1998. Am J Infect Control 1998 ; 26 : 289-354.
109) Duintjer Tebbens RJ, Pallansch MA, Chumakov KM, et al : Expert review on poliovirus immunity and transmission. Risk Anal 2013 ; 33 : 544-605
110) Tseha ST : Polio : The disease that reemerged after six years in Ethiopia. Ethiop J Health Sci 2021 ; 31 : 897-902.
111) Tyler R, Ayliffe GA, Bradley C : Virucidal activity of disinfectants : studies with the poliovirus. J Hosp Infect 1990 ; 15 : 339-345.
112) Narang HK, Codd AA : Action of commonly used disinfectants against enteroviruses. J Hosp Infect 1983 ; 4 : 209-212.
113) Best M, Springthorpe VS, Sattar SA : Feasibility of a combined carrier test for disinfectants : studies with a mixture of five types of microorganisms. Am J Infect Control 1994 ; 22 : 152-162.
114) Weber DJ, Barbee SL, Sobsey MD, et al : The effect of blood on the antiviral activity of sodium hypochlorite, a phenolic, and a quaternary ammonium compound. Infect Control Hosp Epidemiol 1999 ; 20 : 821-827.
115) 厚生労働省：ジフテリア，感染症法に基づく医師及び獣医師の届出について．https://www.mhlw.go.jp/bunya/kenkou/kekkaku-kansenshou11/01-02-03.html
116) Oie S, Kamiya A, Tomita M, et al : Efficacy of disinfectants and heat against *Escherichia coli* O157 : H7. Microbios 1999 ; 98 : 7-14.
117) Sagripanti JL, Eklund CA, Trost PA, et al : Comparative sensitivity of 13 species of pathogenic bacteria to seven chemical germicides. Am J Infect Control 1997 ; 25 : 335-339.
118) Cash RA, Music SI, Libonati JP, et al : Response of man to infection with *Vibrio cholerae*. I. Clinical, serologic, and bacteriologic responses to a known inoculum. J Infect Dis 1974 ; 129 : 45-52.
119) DuPont HI, Hornick RB, Snyder MJ, et al : Immunity in shigellosis. II. Protection induced by oral live vaccine or primary infection. J Infect Dis 1972 ; 125 : 12-16.
120) DuPont HL, Levine MM, Hornick RB, et al : Inoculum size in shigellosis and implications for expected mode of transmission. J Infect Dis 1989 ; 159 : 1126-1128.
121) Keene WE, McAnulty JM, Hoesly FC, et al : A swimming-associated outbreak of hemorrhagic colitis caused by *Escherichia coli* O157 : H7 and *Shigella sonnei*. N Engl J Med 1994 ; 331 : 579-584.
122) Pillay DG, Karas JA, Pillay A, et al : Nosocomial transmission of *Shigella dysenteriae* type 1. J Hosp Infect 1997 ; 37 : 199-205.

123) Karmali MA : Infection by verocytotoxin-producing *Escherichia coli*. Clin Microbiol Rev 1989 ; 2 : 15-38.
124) Rao GG, Saunders BP, Masterton RG : Laboratory acquired verotoxin producing *Escherichia coli*（VTEC）infection. J Hosp Infect 1996 ; 33 : 228-230.
125) Paunio M, Pebody R, Keskimäki M, et al : Swimming-associated outbreak of *Escherichia coli* O157 : H7. Epidemiol Infect 1999 ; 122 : 1-5.
126) Hornick RB, Greisman SE, Woodward TE, et al : Typhoid fever : pathogenesis and immunologic control. N Engl J Med 1970 ; 283 : 686-691.
127) Steere AC, Hall WJ 3rd, Wells JG, et al : Person-to-person spread of *Salmonella* typhimurium after a hospital common-source outbreak. Lancet 1975 ; 1 : 319-322.
128) Petrosillo N, Puro V, Jagger J, et al : The risks of occupational exposure and infection by human immunodeficiency virus, hepatitis B virus, and hepatitis C virus in the dialysis setting. Am J Infect Control 1995 ; 23 : 278-285.
129) Centers for Disease Control and Prevention : Human immunodeficiency virus transmission in household setting ; United States. MMWR Morb Mortal Wkly Rep 1994 ; 43 : 347, 353-356.
130) Beltrami EM, Kozak A, Williams IT : Transmission of HIV and hepatitis C virus from a nursing home patient to a health care worker. Am J Infect Control 2003 ; 31 : 168-175.
131) Bloomfield SF, Smith-Burchnell CA, Dalgleish AG : Evaluation of hypochlorite-releasing disinfectants against the human immunodeficiency virus（HIV）. J Hosp Infect 1990 ; 15 : 273-278.
132) Payan C, Cottin J, Lemarie C, et al : Inactivation of hepatitis B virus in plasma by hospital in-use chemical disinfectants assessed by a modified HepG2 cell culture. J Hosp Infect 2001 ; 47 : 282-287.
133) van Engelenburg FA, Terpstra FG, Schuitemaker H, et al : The virucidal spectrum of a high concentration alcohol mixture. J Hosp Infect 2002 ; 51 : 121-125.
134) Kobayashi H, Tsuzuki M, Koshimizu K, et al : Susceptibility of hepatitis B virus to disinfectants or heat. J Clin Microbiol 1984 ; 20 : 214-216.
135) Tsiquaye KN, Barnard J : Chemical disinfection of duck hepatitis B virus : a model for inactivation of infectivity of hepatitis B virus. J Antimicrob Chemother 1993 ; 32 : 313-323.
136) Weber DJ, Sickbert-Bennett EE, Vinjé J, et al : Lessons learned from a norovirus outbreak in a locked pediatric inpatient psychiatric unit. Infect Control Hosp Epidemiol 2005 ; 26 : 841-843.
137) Wu HM, Fornek M, Schwab KJ, et al : A norovirus outbreak at a long-term-care facility : the role of environmental surface contamination. Infect Control Hosp Epidemiol 2005 ; 26 : 802-810.
138) Zonta W, Mauroy A, Farnir F, et al : Comparative virucidal efficacy of seven disinfectants against murine norovirus and feline calicivirus, surrogates of human norovirus. Food Environ Virol 2016 ; 8 : 1-12.
139) Tuladhar E, Hazeleger WC, Koopmans M, et al : Reducing viral contamination from finger pads: handwashing is more effective than alcohol-based hand disinfectants. J Hosp Infect 2015 ; 90 : 226-234.
140) Tung G, Macinga D, Arbogast J, et al : Efficacy of commonly used disinfectants for inactivation of human noroviruses and their surrogates. J Food Prot 2013 ; 76 : 1210-1217.
141) Girard M, Ngazoa S, Mattison K, et al : Attachment of noroviruses to stainless steel and their inactivation, using household disinfectants. J Food Prot 2010 ; 73 : 400-404.
142) Hall AJ, Vinjé J, Lopman B, et al（Division of Viral Diseases, National Center for Immunization and Respiratory Diseases）: Updated norovirus outbreak management and disease prevention guidelines. MMWR Recomm Rep 2011 ; 60（RR-3）: 1-18.
143) Girard M, Ngazoa S, Mattison K, et al : Attachment of noroviruses to stainless steel and their inactivation, using household disinfectants. J Food Prot 2010 ; 73 : 400-404.
144) Ciofi-Silva CL, Bruna CQM, Carmona RCC, et al : Norovirus recovery from floors and air after various decontamination protocols. J Hosp Infect 2019 ; 103 : 328-334.
145) Chiu S, Skura B, Petric M, et al : Efficacy of common disinfectant/cleaning agents in inactivating murine norovirus and feline calicivirus as surrogate viruses for human norovirus. Am J Infect Control 2015 ; 43 : 1208-1212.

146) Barker J, Vipond IB, Bloomfield SF : Effects of cleaning and disinfection in reducing the spread of Norovirus contamination via environmental surfaces. J Hosp Infect 2004 ; 58 : 42-49.
147) Chadwick PR, Beards G, Brown D, et al : Management of hospital outbreaks of gastro-enteritis due to small roundstructured viruses. J Hosp Infect 2000 ; 45 : 1-10.
148) Sattar SA : Microbicides and the environmental control of nosocomial viral infections. J Hosp Infect 2004 ; 56 : S64-S69.
149) Gehrke C, Steinmann J, Goroncy-Bermes P : Inactivation of feline calicivirus, a surrogate of norovirus (formerly Norwalk-like viruses), by different types of alcohol *in vitro* and *in vivo*. J Hosp Infect 2004 ; 56 : 49-55.
150) Kampf G, Grotheer D, Steinmann J : Efficacy of three ethanol-based hand rubs against feline calicivirus, a surrogate virus for norovirus. J Hosp Infect 2005 ; 60 : 144-149.
151) Belliot G, Lavaux A, Souihel D, et al : Use of murine norovirus as a surrogate to evaluate resistance of human norovirus to disinfectants. Appl Environ Microbiol 2008 ; 74 : 3315-3318.
152) 清水優子，牛島廣治，北島正章，他：ヒトノロウイルスの代替としてマウスノロウイルスを用いた消毒薬による不活化効果．環境感染 2009；24：388-394.
153) CDC Disaster Safety : Infection control recommendations for prevention of transmission of diarrheal diseases in evacuation centers. 2005. https://phpa.health.maryland.gov/IDEHASharedDocuments/guidelines/diarrhea_at_shelters.pdf
154) Simon A, Schildgen O, Eis-Hübinger AM, et al : Norovirus outbreak in a pediatric oncology unit. Scand J Gastroenterol 2006 ; 41 : 693-699.
155) Jimenez L, Chiang M : Virucidal activity of a quaternary ammonium compound disinfectant against feline calicivirus : a surrogate for norovirus. Am J Infect Control 2006 ; 34 : 269-273.
156) Marks PJ, Vipond IB, Carlisle D, et al : Evidence for airborne transmission of Norwalk-like virus (NLV) in a hotel restaurant. Epidemiol Infect 2000 ; 124 : 481-487.
157) Marks PJ, Vipond IB, Regan FM, et al : A school outbreak of Norwalk-like virus: evidence for airborne transmission. Epidemiol Infect 2003 ; 131 : 727-736.
158) Sprague JB, Hierholzer JC, Currier RW 2nd, et al : Epidemic keratoconjunctivitis. A severe industrial outbreak due to adenovirus type 8. N Engl J Med 1973 ; 289 : 1341-1346.
159) Dawson C, Darrell R : Infections due to adenovirus type 8 in the United States. I. An outbreak of epidemic keratoconjunctivitis originating in a physician's office. N Engl J Med 1963 ; 268 : 1031-1034.
160) Gordon YJ, Gordon RY, Romanowski E, et al : Prolonged recovery of desiccated adenoviral serotypes 5, 8, and 19 from plastic and metal surfaces *in vitro*. Ophthalmology 1993 ; 100 : 1835-1840.
161) Junk AK, Chen PP, Lin SC, et al : Disinfection of tonometers : a report by the American Academy of Ophthalmology. Ophthalmology 2017 ; 124 : 1867-1875.
162) Ragan A, Cote SL, Huang JT : Disinfection of the Goldman applanation tonometer: a systematic review. Can J Ophthalmol 2018 ; 53 : 252-259.
163) Massey J, Henry R, Minnich L, et al : Notes from the field : health care-associated outbreak of epidemic keratoconjunctivitis--West Virginia, 2015. MMWR Morb Mortal Wkly Rep 2016 ; 65 : 382-383.
164) Ford E, Nelson KE, Warren D : Epidemiology of epidemic keratoconjunctivitis. Epidemiol Rev 1987 ; 9 : 244-261.
165) Montessori V, Scharf S, Holland S, et al : Epidemic keratoconjunctivitis outbreak at a tertiary referral eye care clinic. Am J Infect Control 1998 ; 26 : 399-405.
166) Threlkeld AB, Froggatt JW 3rd, Schein OD, et al : Efficacy of a disinfectant wipe method for the removal of adenovirus 8 from tonometer tips. Ophthalmology 1993 ; 100 : 1841-1845.
167) Wood A, Payne D : The action of three antiseptics/disinfectants against enveloped and non-enveloped viruses. J Hosp Infect 1998 ; 38 : 283-295.
168) Chronister CL, Russo P : Effects of disinfecting solutions on tonometer tips. Optom Vis Sci 1990 ; 67 : 818-821.
169) Kaatz GW, Gitlin SD, Schaberg DR, et al : Acquisition of *Clostridium difficile* from the hospital envi-

ronment. Am J Epidemiol 1988 ; 127 : 1289-1294.
170) Gerding DN, Johnson S, Peterson LR, et al : *Clostridium difficile*-associated diarrhea and colitis. Infect Control Hosp Epidemiol 1995 ; 16 : 459-477.
171) Rashid T, Haghighi F, Hasan I, et al : Activity of hospital disinfectants against vegetative cells and spores of *Clostridioides difficile* embedded in biofilms. Antimicrob Agents Chemother 2019 ; 64 : e01031-19.
172) Oie S, Ohkusa T, Kamiya A, et al : Thermal inactivation of spores of *Bacillus atrophaeus*, *Bacillus anthracis*, *Bacillus cereus*, and *Clostridium difficile*. J Hosp Adm 2017 ; 6 : 9-11.
173) Omidbakhsh N : Evaluation of sporicidal activities of selected environmental surface disinfectants : carrier tests with the spores of *Clostridium difficile* and its surrogates. Am J Infect Control 2010 ; 38 : 718-722.
174) Martin M, Zingg W, Knoll E, et al : National European guidelines for the prevention of *Clostridium difficile* infection : a systematic qualitative review. J Hosp Infect 2014 ; 87 : 212-219.
175) Vonberg RP, Kuijper EJ, Wilcox MH, et al : Infection control measures to limit the spread of *Clostridium difficile*. Clin Microbiol Infect 2008 ; 14（Suppl 5）: 2-20.
176) Block C : The effect of Perasafe and sodium dichloroisocyanurate（NaDCC）against spores of *Clostridium difficile* and *Bacillus atrophaeus* on stainless steel and polyvinyl chloride surfaces. J Hosp Infect 2004 ; 57 : 144-148.
177) Wullt M, Odenholt I, Walder M : Activity of three disinfectants and acidified nitrite against *Clostridium difficile* spores. Infect Control Hosp Epidemiol 2003 ; 24 : 765-768.
178) Hatt S, Schindler B, Bach D, et al : Washer disinfector and alkaline detergent efficacy against *C. difficile* on plastic bedpans. Am J Infect Control 2020 ; 48 : 761-764.
179) MacDonald K, Bishop J, Dobbyn B, et al : Reproducible elimination of *Clostridium difficile* spores using a clinical area washer disinfector in 3 different health care sites. Am J Infect Control 2016 ; 44 : e107-e111.
180) 小林晃子, 尾家重治, 神谷晃：高水準消毒薬の殺芽胞効果に及ぼす温度および有機物の影響. 環境感染 2006 ; 21 : 236-240.
181) 尾家重治, 神谷晃：アルデヒド系消毒薬の殺芽胞効果. 環境感染 2003 ; 18 : 401-403.
182) Rutala WA, Gergen MF, Weber DJ : Inactivation of *Clostridium difficile* spores by disinfectants. Infect Control Hosp Epidemiol 1993 ; 14 : 36-39.
183) Dettenkofer M, Wenzer S, Amthor S, et al : Does disinfection of environmental surfaces influence nosocomial infection rates? A systematic review. Am J Infect Control 2004 ; 32 : 84-89.
184) Rutala WA, Weber DJ : Surface disinfection : should we do it？ J Hosp Infect 2001 ; 48（Suppl A）: S64-S68.
185) Bassetti S, Bischoff WE, Walter M, et al : Dispersal of *Staphylococcus aureus* into the air associated with a rhinovirus infection. Infect Control Hosp Epidemiol 2005 ; 26 : 196-203.
186) Kobayashi H, Tsuzuki M, Hosobuchi K : Bactericidal effects of antiseptics and disinfectants against methicillin-resistant *Staphylococcus aureus*. Infect Control Hosp Epidemiol 1989 ; 10 : 562-564.
187) Oie S, Huang Y, Kamiya A, et al : Efficacy of disinfectants against biofilm cells of methicillin-resistant *Staphylococcus aureus*. Microbios 1996 ; 85 : 223-230.
188) Oie S, Yanagi C, Matsui H, et al : Contamination of environmental surfaces by *Staphylococcus aureus* in a dermatological ward and its preventive measures. Biol Pharm Bull 2005 ; 28 : 120-123.
189) Haley CE, Marling-Cason M, Smith JW, et al : Bactericidal activity of antiseptics against methicillin-resistant *Staphylococcus aureus*. J Clin Microbiol 1985 ; 21 : 991-992.
190) Rutala WA, Weber DJ : The benefits of surface disinfection. Am J Infect Control 2004 ; 32 : 226-231.
191) Cozad A, Jones RD : Disinfection and the prevention of infectious disease. Am J Infect Control 2003 ; 31 : 243-254.
192) Oie S, Suenaga S, Sawa A, et al : Association between isolation sites of methicillin-resistant *Staphylococcus aureus*（MRSA）in patients with MRSA-positive body sites and MRSA contamination in their

193) Oie S, Kamiya A : Survival of methicillin-resistant *Staphylococcus aureus*（MRSA）on naturally contaminated dry mops. J Hosp Infect 1996 ; 34 : 145-149.
194) Oie S, Hosokawa I, Kamiya A : Contamination of room door handles by methicillin-sensitive/methicillin-resistant *Staphylococcus aureus*. J Hosp Infect 2002 ; 51 : 140-143.
195) Oie S, Kamiya A : Contamination of environmental surfaces by methicillin-resistant *Staphylococcus aureus*（MRSA）. Biomed Letters 1998 ; 57 : 115-119.
196) Man GS, Olapoju M, Chadwick MV, et al : Bacterial contamination of ward-based computer terminals. J Hosp Infect 2002 ; 52 : 314-315.
197) Layton MC, Perez M, Heald P, et al : An outbreak of mupirocin-resistant *Staphylococcus aureus* on a dermatology ward associated with an environmental reservoir. Infect Control Hosp Epidemiol 1993 ; 14 : 369-375.
198) de Gialluly C, Morange V, de Gialluly E, et al : Blood pressure cuff as a potential vector of pathogenic microorganisms : a prospective study in a teaching hospital. Infect Control Hosp Epidemiol 2006 ; 27 : 940-943.
199) Prasanna M, Thomas C : A profile of methicillin resistant *Staphylococcus aureus* infection in the burn center of the Sultanate of Oman. Burns 1998 ; 24 : 631-636.
200) Perry C, Marshall R, Jones E : Bacterial contamination of uniforms. J Hosp Infect 2001 ; 48 : 238-241.
201) Boyce JM : Vancomycin-resistant *enterococcus*. Detection, epidemiology, and control measures. Infect Dis Clin North Am 1997 ; 11 : 367-384.
202) Mayer RA, Geha RC, Helfand MS, et al : Role of fecal incontinence in contamination of the environment with vancomycin-resistant *enterococci*. Am J Infect Control 2003 ; 31 : 221-225.
203) Zachary KC, Bayne PS, Morrison VJ, et al : Contamination of gowns, gloves, and stethoscopes with vancomycin-resistant *enterococci*. Infect Control Hosp Epidemiol 2001 ; 22 : 560-564.
204) Byers KE, Durvin LJ, Simonton BM, et al : Disinfection of hospital rooms contaminated with vancomycin-resistant *Enterococcus faecium*. Infect Control Hosp Epidemiol 1998 ; 19 : 261-264.
205) Rupp ME, Marion N, Fey PD, et al : Outbreak of vancomycin-resistant *Enterococcus faecium* in a neonatal intensive care unit. Infect Control Hosp Epidemiol 2001 ; 22 : 301-303.
206) Anderson RL, Carr JH, Bond WW, et al : Susceptibility of vancomycin-resistant *enterococci* to environmental disinfectants. Infect Control Hosp Epidemiol 1997 ; 18 : 195-199.
207) Rutala WA, Barbee SL, Aguiar NC, et al : Antimicrobial activity of home disinfectants and natural products against potential human pathogens. Infect Control Hosp Epidemiol 2000 ; 21 : 33-38.
208) Rutala WA, White MS, Gergen MF, et al : Bacterial contamination of keyboards : efficacy and functional impact of disinfectants. Infect Control Hosp Epidemiol 2006 ; 27 : 372-377.
209) Hayden MK, Bonten MJ, Blom DW, et al : Reduction in acquisition of vancomycin-resistant *enterococcus* after enforcement of routine environmental cleaning measures. Clin Infect Dis 2006 ; 42 : 1552-1560.
210) Farmer JJ 3rd, Weinstein RA, Zierdt CH, et al : Hospital outbreaks caused by *Pseudomonas aeruginosa* : importance of serogroup O11. J Clin Microbiol 1982 ; 16 : 266-270.
211) Richet H, Escande MC, Marie JP, et al : Epidemic *Pseudomonas aeruginosa* serotype O16 bacteremia in hematology-oncology patients. J Clin Microbiol 1989 ; 27 : 1992-1996.
212) Archibald LK, Ramos M, Arduino MJ, et al : *Enterobacter cloacae* and *Pseudomonas aeruginosa* polymicrobial bloodstream infections traced to extrinsic contamination of a dextrose multidose vial. J Pediatr 1998 ; 133 : 640-644.
213) Mattner F, Gastmeier P : Bacterial contamination of multiple-dose vials : a prevalence study. Am J Infect Control 2004 ; 32 : 12-16.
214) de Vries EG, Mulder NH, Houwen B, et al : Enteral nutrition by nasogastric tube in adult patients treated with intensive chemotherapy for acute leukemia. Am J Clin Nutr 1982 ; 35 : 1490-1496.
215) File TM Jr, Tan JS, Thomson RB Jr, et al : An outbreak of *Pseudomonas aeruginosa* ventilator-associ-

ated respiratory infections due to contaminated food coloring dye--further evidence of the significance of gastric colonization preceding nosocomial pneumonia. Infect Control Hosp Epidemiol 1995 ; 16 : 417-418.

216) Jumaa P, Chattopadhyay B : Outbreak of gentamicin, ciprofloxacin-resistant *Pseudomonas aeruginosa* in an intensive care unit, traced to contaminated quivers. J Hosp Infect 1994 ; 28 : 209-218.

217) Olson RK, Voorhees RE, Eitzen HE, et al : Cluster of postinjection abscesses related to corticosteroid injections and use of benzalkonium chloride. West J Med 1999 ; 170 : 143-147.

218) Bottone EJ, Perez AA 2nd : *Pseudomonas aeruginosa* folliculitis acquired through use of a contaminated loofah sponge : an unrecognized potential public health problem. J Clin Microbiol 1993 ; 31 : 480-483.

219) Rahman M : Hand scrubbing system in theatres and bacterial contamination. J Hosp Infect 1988 ; 12 : 327-328.

220) Earnshaw JJ, Clark AW, Thom BT : Outbreak of *Pseudomonas aeruginosa* following endoscopic retrograde cholangiopancreatography. J Hosp Infect 1985 ; 6 : 95-97.

221) Muyldermans G, de Smet F, Pierard D, et al : Neonatal infections with *Pseudomonas aeruginosa* associated with a water-bath used to thaw fresh frozen plasma. J Hosp Infect 1998 ; 39 : 309-314.

222) Buttery JP, Alabaster SJ, Heine RG, et al : Multiresistant *Pseudomonas aeruginosa* outbreak in a pediatric oncology ward related to bath toys. Pediatr Infect Dis J 1998 ; 17 : 509-513.

223) Becks VE, Lorenzoni NM : *Pseudomonas aeruginosa* outbreak in a neonatal intensive care unit: a possible link to contaminated hand lotion. Am J Infect Control 1995 ; 23 : 396-398.

224) Kolmos HJ, Thuesen B, Nielsen SV, et al : Outbreak of infection in a burns unit due to *Pseudomonas aeruginosa* originating from contaminated tubing used for irrigation of patients. J Hosp Infect 1993 ; 24 : 11-21.

225) Takeo Y, Oie S, Kamiya A, et al : Efficacy of disinfectants against biofilm cells of *Pseudomonas aeruginosa*. Microbios 1994 ; 79 : 19-26.

226) Koshiro A, Oie S : Bactericidal activity of ethanol against glucose nonfermentative Gram-negative bacilli. Microbios 1984 ; 40 : 33-40.

227) Rutala WA, Cole EC, Thomann CA, et al : Stability and bactericidal activity of chlorine solutions. Infect Control Hosp Epidemiol 1998 ; 19 : 323-327.

228) Oie S, Kamiya A : Comparison of microbial contamination of enteral feeding solution between repeated use of administration sets after washing with water and after washing followed by disinfection. J Hosp Infect 2001 ; 48 : 304-307.

229) Oie S, Kamiya A : Microbial contamination of antiseptics and disinfectants. Am J Infect Control 1996 ; 24 : 389-395.

230) Oie S, Kamiya A, Yoneda I, et al : Microbial contamination of dialysate and its prevention in haemodialysis units. J Hosp Infect 2003 ; 54 : 115-119.

231) Oie S, Kamiya A : Contamination and survival of *Pseudomonas aeruginosa* in hospital used sponges. Microbios 2001 ; 105 : 175-181.

232) Oie S, Kamiya A : Microbial contamination of brushes used for preoperative shaving. J Hosp Infect 1992 ; 21 : 103-110.

233) Denton M, Wilcox MH, Parnell P, et al : Role of environmental cleaning in controlling an outbreak of *Acinetobacter baumannii* on a neurosurgical intensive care unit. J Hosp Infect 2004 ; 56 : 106-110.

234) El Shafie SS, Alishaq M, Leni Garcia M : Investigation of an outbreak of multidrug-resistant *Acinetobacter baumannii* in trauma intensive care unit. J Hosp Infect 2004 ; 56 : 101-105.

235) Aygün G, Demirkiran O, Utku T, et al : Environmental contamination during a carbapenem-resistant *Acinetobacter baumannii* outbreak in an intensive care unit. J Hosp Infect 2002 ; 52 : 259-262.

236) Vila J, Almela M, Jimenez de Anta MT : Laboratory investigation of hospital outbreak caused by two different multiresistant *Acinetobacter calcoaceticus subsp.* anitratus strains. J Clin Microbiol 1989 ; 27 : 1086-1089.

237) Holton J : A report of a further hospital outbreak caused by a multi-resistant *Acinetobacter anitratus*. J Hosp Infect 1982 ; 3 : 305-309.
238) Martró E, Hernández A, Ariza J, et al : Assessment of *Acinetobacter baumannii* susceptibility to antiseptics and disinfectants. J Hosp Infect 2003 ; 55 : 39-46.
239) Wang CY, Wu HD, Lee LN, et al : Pasteurization is effective against multidrug-resistant bacteria. Am J Infect Control 2006 ; 34 : 320-322.
240) Wisplinghoff H, Schmitt R, Wöhrmann A, et al : Resistance to disinfectants in epidemiologically defined clinical isolates of *Acinetobacter baumannii*. J Hosp Infect 2007 ; 66 : 174-181.
241) Kawamura-Sato K, Wachino J, Kondo T, et al : Reduction of disinfectant bactericidal activities in clinically isolated Acinetobacter species in the presence of organic material. J Antimicrob Chemother 2008 ; 61 : 568-576.
242) Kawamura-Sato K, Wachino J, Kondo T, et al : Correlation between reduced susceptibility to disinfectants and multidrug resistance among clinical isolates of *Acinetobacter* species. J Antimicrob Chemother 2010 ; 65 : 1975-1983.
243) Yorioka K, Oie S, Kamiya A : Microbial contamination of suction tubes attached to suction instruments and preventive methods. Jpn J Infect Dis 2010 ; 63 : 124-127.
244) 河口忠夫, 尾家重治, 神谷晃 : ジェットネブライザーの微生物汚染とその対策. 環境感染 2008 ; 23 : 221-223.
245) Oie S, Makieda D, Ishida S, et al : Microbial contamination of nebulization solution and its measures. Biol Pharm Bull 2006 ; 29 : 503-507.
246) 尾家重治, 弘長恭三, 神代昭 : 超音波加湿器の微生物汚染. 日防菌防黴会誌 1988 ; 16 : 405-410.
247) 尾家重治, 山本千恵子, 松岡加津子, 他 : アロプリノール含嗽液の微生物汚染とその対策. 薬剤学 1996 ; 56 : 119-125.
248) Oie S, Oomaki M, Yorioka K, et al : Microbial contamination of 'sterile water' used in Japanese hospitals. J Hosp Infect 1998 ; 38 : 61-65.
249) Simmons BP, Gelfand MS : Uncommon causes of nosocomial infections. In : Mayfall CG, ed. Hospital epidemiology and infection control. 2nd ed. Philadelphia : Lippincott Williams & Wilkins, 1999 ; 593-604.
250) Guideline compiled by the DGKH, DGSV and AKI for validation and routine monitoring of automated cleaning and disinfection processes for heat resistant medical devices as well as advice on selecting washer-disinfectors. Central Service 2007 ; 15 : 4-12.
251) Uetera Y, Saito H, Ookuni M, et al : Evaluation of thermal disinfection procedure in washer disinfectors using a wireless thermologger. Zentr Steril 2001 ; 9 : 88-99.
252) Uetera Y, Kishii K, Yasuhara H, et al : A 5 year longitudinal study of water quality for final rinsing in the single chamber washer-disinfector with a reverse osmosis plant. PDA J Pharm Sci Technol 2013 ; 67 : 399-411.
253) ISO 15883-Parts 1 to 7 Washer-disinfectors.
254) ISO 17664 Sterilization of medical devices : Information to be provided by the manufacturer for the processing of resterilisable medical devices.
255) 手術医療の実践ガイドライン改訂第三版準備委員会編 : 手術医療の実践ガイドライン. 改訂第3版. 東京 : 日本手術医学会, 2019.
256) 佐々木次雄編 : ヘルスケア製品の滅菌及び滅菌保証 ; ISO/JIS 規格準拠. 東京 : 日本規格協会 ; 2011.
257) 日本医療機器学会 : 医療現場における滅菌保証のガイドライン 2015. 東京 : 日本医療機器学会, 2015.
258) 器械のメンテナンスに関するワーキンググループ（AKI）: Instrument reprocessing : reprocessing of instruments to retain value. Mörfelden-Walldorf : Working Group Instrument Reprocessing, 2012.（日本医療機器学会 : 器械の再生処理—器械の性能を維持する再生処理. 第10版, 東京 : 日本医療機器学会, 2014）
259) Drouin HJ, Arbeitskreis Instrumenten-Aufbereitung : Instrument reprocessing in dental practices : how to do it right. 2016.（日本医療機器学会　翻訳版出版, http://www.a-k-i.org/aki-brochures/?L=1）

260) Scientific Committee on Emerging and Newly Identified Health Risks : The safety of human-derived products with regard to variant Creutzfeldt-Jakob disease. 2006.

261) World Health Organization: Practical guidelines for infection control in health care facilities. WHO, 2004.
https://iris.who.int/handle/10665/206946

262) Baier M, Schwarz A, Mielke M : Activity of an alkaline 'cleaner' in the inactivation of the scrapie agent. J Hosp Infect 2004 ; 57 : 80-84.

263) Fichet G, Antloga K, Comoy E, et al : Prion inactivation using a new gaseous hydrogen peroxide sterilisation process. J Hosp Infect 2007 ; 67 : 278-286.

264) Association for Professionals in Infection Control and Epidemiology : APIC Text of Infection Control and Epidemiology. 4th ed. Washington DC : APIC, 2014.

265) Department of Health : Transmissible spongiform encephalopathy agents : safe working and the prevention of infection : publication of revised guidance.

266) Economics, Statistics and Operational Research, Department of Health : Assessing the risk of vCJD transmission via surgery : An interim review. Mar 2005.
https://webarchive.nationalarchives.gov.uk/ukgwa/20130123204621/http://www.dh.gov.uk/en/PublicationsandstatisticsPublications/PublicationsPolicyAndGuidance/DH_4113541

267) The Association of periOperative Registered Nurses : 2009 standard, recommended practices, and guideline. Denver : AORN, 2009.

268) Yan ZX, Heeg SP, Roth K, et al : Low-temperature inactivation of prion protein on surgical steel surfaces with hydrogen peroxide gas plasma sterilization. Zentr Steril 2008 ; 16 : 26-34.

269) Rogez-Kreuz C, Yousfi R, Soufflet C, et al : Inactivation of animal and human prions by hydrogen peroxide gas plasma sterilization. Infect Control Hosp Epidemiol 2009 ; 30 : 769-777.

270) 上寺祐之, 大久保憲, 水澤英洋, 他：ハイリスク手技に用いられた手術器械．プリオン病のサーベイランスと感染予防に関する調査研究班・日本神経学会, 水澤英洋編, プリオン病感染予防ガイドライン（2020年版）, 2020：15-36.

271) 厚生労働省：エムポックスについて．
https://www.mhlw.go.jp/stf/seisakunitsuite/bunya/kenkou/kekkaku-kansenshou19/monkeypox_00001.html

272) 厚生労働省：中華人民共和国湖北省武漢市における新型コロナウイルス関連肺炎の発生について．
https://www.mhlw.go.jp/stf/newpage_09120.html

273) 国立感染症研究所：ヒトに感染するコロナウイルス．2021.
https://www.niid.go.jp/niid/ja/from-idsc/2482-2020-01-10-06-50-40/9303-coronavirus.html

274) Arienzo A, Gallo V, Tomassetti F, et al : A narrative review of alternative transmission routes of COVID 19: what we know so far. Pathog Glob Health 2023 ; 117 : 681-695.

275) Triggle CR, Bansal D, Ding H, et al : A comprehensive review of viral characteristics, transmission, pathophysiology, immune response, and management of SARS-CoV-2 and COVID-19 as a basis for controlling the pandemic. Front Immunol 2021 ; 12 : 631139.

276) Kampf G, Todt D, Pfaender S, et al : Persistence of coronaviruses on inanimate surfaces and their inactivation with biocidal agents. J Hosp Infect 2020 ; 104 : 246-251.

277) World Health Organization : Laboratory biosafety guidance related to the novel coronavirus (2019-nCoV). 2020.
https://www.who.int/docs/default-source/coronaviruse/laboratory-biosafety-novel-coronavirus-version-1-1.pdf?sfvrsn=912a9847_2

278) Wiktorczyk-Kapischke N, Grudlewska-Buda K, Wałecka-Zacharska E, et al : SARS-CoV-2 in the environment-Non-droplet spreading routes. Sci Total Environ 2021 ; 20 : 145260.

279) Aboubakr HA, Sharafeldin TA, Goyal SM : Stability of SARS-CoV-2 and other coronaviruses in the environment and on common touch surfaces and the influence of climatic conditions : A review. Transbound Emerg Dis 2021 ; 68 : 296-312.

280) Henwood AF : Coronavirus disinfection in histopathology. J Histotechnol 2020 ; 43 : 102-104.
281) Kampf G, Voss A, Scheithauer S : Inactivation of coronaviruses by heat. J Hosp Infect 2020 ; 105 : 348-349.
282) Subpiramaniyam S : Outdoor disinfectant sprays for the prevention of COVID-19 : Are they safe for the environment? Sci Total Environ 2021 ; 759 : 144289.
283) Jones DL, Baluja MQ, Graham DW, et al : Shedding of SARS-CoV-2 in feces and urine and its potential role in person-to-person transmission and the environment-based spread of COVID-19. Sci Total Environ 2020 ; 749 : 141364.
284) Wu S, Wang Y, Jin X, et al : Environmental contamination by SARS-CoV-2 in a designated hospital for coronavirus disease 2019. Am J Infect Control 2020 ; 48 : 910-914.

5

滅菌法

I はじめに

　無菌とは，すべての微生物が存在しない絶対的な概念である．滅菌とは，無菌性を達成するためにすべての微生物を殺滅または除去する行為であり，確率的な概念である．滅菌法を行うには，高圧蒸気滅菌，エチレンオキサイドガス滅菌，過酸化水素低温ガスプラズマ滅菌，低温蒸気ホルムアルデヒドガス滅菌などのなかから各滅菌法の長所，短所を十分理解したうえで，被滅菌物の性質に応じて適切な滅菌法を選択しなければならない[1,2]．

　滅菌の概念は確率的なものであり，あらかじめ設定された無菌性保証水準（sterility assurance level；SAL）に達した状態を維持してはじめて滅菌が完了する．SAL は最適許容値として国際的に受け入れられている．滅菌後の医療機器に1個の微生物が生存する確率として定義され，SAL は通常，10^{-n} と示される．例えば，1個の芽胞が生存している確率が100万分の1の場合，SAL は 10^{-6} となる[3,4]．すなわち，SAL は全滅菌工程の微生物致死率の推定値であり，控えめな算出値ともいえる．

　現在では，このように無菌性保証水準として 10^{-6} が採用されている．単位当たりの被滅菌物に生存する微生物の数と種類（バイオバーデン）とその菌の滅菌抵抗性，致死速度から外挿（extrapolation）することにより，滅菌後の無菌性の到達度を知ることができる[5,6]．

　この水準に達することのできる滅菌法は，高圧蒸気滅菌，エチレンオキサイドガス滅菌，過酸化水素低温ガスプラズマ滅菌，低温蒸気ホルムアルデヒドガス滅菌，過酸化水素ガス低温滅菌などである．

　無菌の組織または血管内に挿入する医療機器はクリティカル器具と判断される．これらの器具はいかなる微生物汚染も感染につながることから，使用時には必ず滅菌しなければならない．

1 主な滅菌法の種類

1）物理的滅菌法
　①加熱法：高圧蒸気滅菌法，乾熱滅菌法
　②照射法：放射線滅菌法（ガンマ線，電子線，制動放射線）
　③濾過滅菌法

2）化学的滅菌法
　①エチレンオキサイドガス滅菌法
　②過酸化水素低温ガスプラズマ滅菌法
　③低温蒸気ホルムアルデヒドガス滅菌法
　④過酸化水素ガス低温滅菌法
　⑤その他：過酢酸，グルタラールおよび次亜塩素酸ナトリウムによる滅菌法

2 理想的な滅菌法とは[5,7]

（1）高い滅菌効果
細菌芽胞，ウイルス，真菌などをすべて確実に殺滅できる．
（2）短い滅菌時間
すべての滅菌工程が短時間で終了する．

（3）強い浸透力
包装材料と被滅菌物に均一に浸透する。
（4）被滅菌物の材質への影響が少ない
被滅菌物の形状や機能に変化を及ぼさない。
（5）低い毒性
職場環境や自然環境に対する安全性が高い。
（6）有機物で不活性化されない
被滅菌物に残存する有機物の影響を受けない。
（7）装置が小さく操作が簡単
設置場所の制限を受けず操作も簡便。
（8）正確なモニタリング
滅菌工程が正確に把握できる。
（9）経済性
イニシャルコストやランニングコストが低い。

II 高圧蒸気滅菌（steam sterilization/autoclaving）

1 適応と滅菌工程

1）適　応
　主としてガラス製品，磁製，金属製，ゴム製，紙製もしくは繊維製の物品，水，培地，試薬・試液または液状の医薬品などで，高温高圧水蒸気に耐えるものに用いる。

2）滅菌工程（図14）
（1）準備工程
　給蒸バルブを開けて，ボイラーから送られてきた蒸気をストレーナー（濾過器）を通して外缶に入れる。この蒸気によりチャンバーと呼ばれる滅菌室を温める（予熱）。外缶温は約120℃に達する。チャンバーの扉を開けて被滅菌物を入れ，扉を締め付ける。
（2）真空工程
　オートクレーブの機種により異なるが，滅菌工程の前に高真空の状態にしておくと，空気の介在がなくなるため，飽和水蒸気と被滅菌物とが効率よく直接接触できる利点がある。最終的に－740 mmHg（2.67 kPa abs）になるまで数分間を要して高真空にする。
　リネン類を滅菌する場合など，繊維の中に含まれている空気を十分に排除するために真空操作をくり返すパルシングシステムが採用されている機種が多い。
　空気が残存していると，所定の圧力における飽和水蒸気の温度に達しない。滅菌工程前の空気と飽和水蒸気との置換不十分，細長いチューブ，細管，重ねて密着した金属容器，注射器状構造の器材などで，空気が残存する危険性がある。例えば，絶対圧0.313 MPaの飽和水蒸気は135℃であるが，1/2空気が残っていると約128℃にしかならず，完全に空気が残存している部分は121℃にしかならない。高圧蒸気滅菌の効果を確実にするためには，滅菌工程前の空気排除がいかに重要であるかが窺え，歴史的に空気排除の方式に工夫が重ねられてきた理由が理解できる。さらに，空気が残存すると，これに邪魔をされて，飽和水蒸気が被滅菌物に十分接触せずに，蒸気のもつ大きな熱エネルギーが利

用できないことになる。

　高圧蒸気滅菌には，重力置換式（gravity type）とプリバキューム式（prevacuum type）がある。前者は蒸気と空気との比重の差（空気のほうが蒸気より比重が大で，チャンバー内の下方に溜まる）および蒸気の圧力で，上方から下方へと空気を排除する方式の高圧蒸気滅菌器である。十分な空気除去率（蒸気置換率）が得られず，その分長時間の滅菌時間が必要になる。現在，この方式は病院で通常使用する手術器具の滅菌法としては採用されていない。プリバキューム式は，滅菌工程前の空気排除方式にいく通りかがあり，それぞれ特徴を有していて滅菌効率は異なる。空気排除方式に，シングルバキューム式，パルスマチックプリバキューム式，反復加圧－真空脱気式の3種類がある。この順序で空気除去率（蒸気置換率）が高まり，滅菌効率も向上する。

　手術室緊急滅菌用のハイスピード滅菌器（フラッシュ・オートクレーブ），細菌検査室用高圧蒸気滅菌器には，重力置換式が使われていることが多い。これらは空気除去（蒸気を使っての空気の排除）が十分に行われないため，プリバキューム式とほぼ同等の滅菌効果を得るためには滅菌時間を延長する必要がある。また，「水」を滅菌する場合には，プリバキュームを行うと水が沸騰するため，流通給蒸式を用いる。

（3）滅　菌

　滅菌チャンバー内に蒸気が注入されて加圧される。加圧のレベルによりチャンバー内の温度が変わる。一般的には，134℃では少なくとも3分間の滅菌工程とする。

（4）乾燥工程

　排気弁を開いて蒸気が缶外へ排出される。再び真空ポンプが作動してチャンバー内は高真空（－740～－720 mmHg：2.67～5.33 kPa abs）の状態になり，滅菌物を乾燥する。その後，熱風を導入して付着している水滴を分散させる。真空と熱風導入をくり返すパルス乾燥が行われる場合もある。

（5）終　了

　最後に空気を導入してチャンバー内圧が大気圧に戻ると，滅菌工程は完了する。

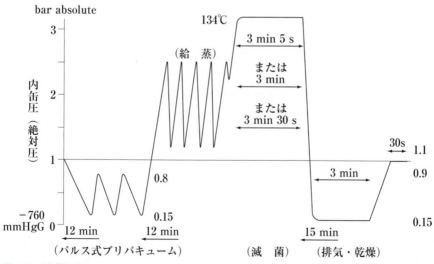

図14　滅菌工程
（英国 Eastwood Park Training & Conference Centre テキストを参考に作成）

2 包装法

滅菌物の包装形態には次の方法がある。
①木綿布
②滅菌バッグ（袋型，ロール型）
③合成繊維類：プラスチック製，不織布，ポリエチレンフィルムバッグ，その他の合成樹脂フィルムバッグ
④金属缶：滅菌コンテナ，ステンレスカスト，ステンレストレイ

＜滅菌物の包装材料に要求される条件＞
①空気や水蒸気の通過性に優れている
②水分湿潤に抵抗性がある
③無菌性が維持できる
④滅菌効率がよい
⑤高圧に耐えられる

これらの条件にもっとも適合する方式は滅菌コンテナである。

木綿布包装での有効保存期間は，綿布（モスリン）1枚による二層包装では，戸の閉まった戸棚で1週間，開放の棚では2日間である。モスリン2枚による二重の二層包装では，戸棚で7週間，棚では3週間とされている[8]。撥水処理モスリン280は，当初は水の透過圧は非常に高いが，洗濯処理で急速に低下する[9]。

包装材料の選択およびその使用について，米国周術期看護師協会（The Association of periOperative Registered Nurses；AORN）では実施基準として以下の事項をあげている[10]。
①滅菌工程に適合するもの
②内容物の無菌性を維持し，微生物のバリアとなるもの
③無菌的な取り扱いが容易に行えるもの

3 利点と欠点

1）利　点

高圧蒸気滅菌法は，短時間で確実な滅菌が可能である。病院内で行うことができる滅菌法のなかではもっとも信頼性が高い。
①温度上昇が速やかで浸透性に富むため，繊維製品の深部まで確実に滅菌できる。
②細菌芽胞に対しても効果が確実である。
③残留毒性がなく，作業者に安全である。
④経済的である。

2）欠　点

①湿熱による被滅菌物の熱変質の問題がある（非耐熱性の医療用器材が増加し，内視鏡，ビデオカメラ，麻酔関連器材など熱を利用した滅菌が困難なものが増えている）。
②空気排除を完全に行わないと滅菌不良を起こす。
③無水油や粉末の滅菌には適さない。
④水が存在しない状態で飽和水蒸気を加熱すると，圧力はそのままで温度のみが上昇する過熱蒸気

となり、殺菌力が低下する。

4 注意点

　滅菌不良を防止するためには、被滅菌物の内部に空気を残さないことであり、包装方法に注意が必要である。

　滅菌チャンバー内に詰め込みすぎないよう、量と配列に注意する。蒸気が上から下へ通りやすくする。

　滅菌精度の保証には、計器などによる物理的インジケータで温度、湿度、圧力、作用時間などが正確に記録されており、かつ計器の定期点検が行われている必要がある。

　滅菌の確認には生物学的インジケータを使用する[10-12]。毎回使用が望ましいが、少なくとも週1回は実施するようにする。もっとも好ましい方法は、ボウィ・ディック（Bowie Dick）テストを毎日の始業時点検として組み込むことである（図15）。

　不適切な滅菌となれば手術部位感染を起こす可能性がある[13-15]。したがって日常の滅菌の確認はユーザーの責任であり、その重要性が求められている[11, 16-18]。

　蒸気滅菌の有効性は *Geobacillus stearothermophilus* の芽胞を含む生物学的インジケータを利用してモニターされる。芽胞検査結果が陽性となるのは比較的まれであり[19]、操作者の過誤、不適切な蒸気の送達[20]、または装置の不良などが原因と考えられる。

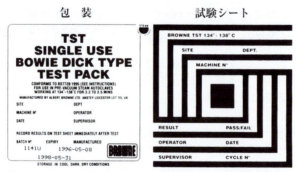

図15　Bowie Dick（ボウィ・ディック）試験紙の例

Column ハイスピード滅菌器

　病院において、耐熱性のある被滅菌物は中央材料部にある大型の高圧蒸気滅菌器で滅菌される。これらは前述したようにボイラーから蒸気を受け、プリバキューム式（prevacuum type）が採用されている。ところが予備のない鋼製小物を術中に落としたときなど、緊急に滅菌する必要が生ずることがある。この際に使用されるハイスピード滅菌器は、フラッシュ滅菌器とも呼ばれ病院では手術室の中に置かれていることが多い。また、大型の高圧蒸気滅菌器が使用できない歯科医院などでも汎用されている。これらのハイスピード滅菌器は、小型（卓上型）で重力置換式（gravity type）が採用されており、EN13060ではクラスNの器具を滅菌できる（表50）。しかし、卓上型であってもバキュームポンプを内蔵しプリバキューム式を採用した高圧蒸気滅菌器（クラスB）もある。

ハイスピード滅菌器の仕様はメーカーによりさまざまである。「フラッシュ式」の蒸気滅菌は当初，27〜28ポンド（12.2〜12.7 kg）の圧力で132℃ 3分間，未包装の被滅菌物を滅菌する方法としてUnderwoodおよびPerkinsにより定義された[21-23]。密封したチャンバー内の水を熱し蒸気を発生させて滅菌するが，被滅菌物は包装されていないため，限られた物品の滅菌に使用される。115℃，121℃，134℃などの設定ができる。

滅菌効果を短時間で判定できる生物学的インジケータがないこと，滅菌器から出して使用するまでの間に汚染する危険性があること，最小限の滅菌サイクル特性（時間，温度，圧力）で運転していることなどより，ハイスピード滅菌器をルチーンの滅菌業務で使用すべきではない[12, 24-26]。

使用場所への無菌的な搬送を簡便化するため，ハイスピード滅菌器を手術室のごく近くに設置する，滅菌性を確保するために曝露時間を延長する（132℃ 4分間など）[27, 28]，ハイスピード滅菌器用として1時間の培養で判定できる生物学的インジケータを利用する[27, 28]，蒸気の浸透が可能な保護包装を使用する[22, 23, 29-32]，などである。

医療機器の購入コストを抑えるためや時間を節約するためなどの理由でハイスピード滅菌器を使用してはならない[29]。また，感染症の原因となる可能性があるため，ハイスピード滅菌器はインプラント用の器材には推奨されない。

表50　小型高圧蒸気滅菌器のヨーロッパ規格 EN13060 でのクラス分類

クラス分類	被滅菌物
クラス N	滅菌バッグなどで包装されていない中空のない固形の器具 滅菌後はすぐに使用しなければならない
クラス S	クラス N に加え製造業者が指定した器具 未包装固形器具および多孔・中空・一重包装・二重包装などの負荷試験を行っている
クラス B	大型高圧蒸気滅菌器の要求事項 EN285 に準拠した多孔性あるいは中空の器具も含む 非包装物あるいは包装

Ⅲ　エチレンオキサイドガス滅菌

1　適応と滅菌工程

すべての微生物に有効であり[33]，比較的低い温度でできるため，低温滅菌として耐熱性のない被滅菌物の滅菌に広く利用できる[34]。

高圧蒸気滅菌ができないものに対して行われる滅菌法である[35]。耐熱性や耐湿性の低いカテーテル類，内視鏡，麻酔関連器材，カメラ，腹腔鏡下手術器材などが適応となる。

滅菌条件は37〜63℃，湿度25〜80% RH，エチレンオキサイド（ethylene oxide；EO）濃度450〜1,200 mg/Lで，滅菌時間は1〜6時間である。ある限度内で，ガス濃度および温度が上昇すれば，滅菌に必要な時間を短縮することが可能と思われる。

基本的な EO 滅菌工程は 5 段階（すなわち，プレコンディショニングと加湿，ガスの導入，曝露，排気，エアレーション）で構成され，エアレーション時間を除いても約 2.5 時間かかる。50 〜 60℃ で 8 〜 12 時間，機械的なエアレーション処理をすることで，EO に曝露された吸収性材質に含まれる有毒な EO 残留物を除去することができる。最新の EO 滅菌器は，滅菌およびエアレーションが一連の工程として同一チャンバー内で統合されている。

EO 滅菌には湿度が必要であるが，濡れている器材は滅菌できない。滅菌終了後は空気置換のため，専用のエアレータ内で 50℃ 程度の低温で 12 時間，60℃ なら 8 時間のエアレーション（空気置換）を行う[36]。室温に放置した場合には 7 日間を要する。

2 包装法

滅菌バッグの包材はクラフト紙かクラフト紙とプラスチックフィルムを組み合わせたものを用いることが多い。浸透性に優れているため，滅菌する前に包装・シールしてそのまま保存できるので便利である。

3 利点と欠点

1）利　点

低温で滅菌できるため，加熱による材質の変化がなく，プラスチック材などの非耐熱性の医療機器の滅菌に適している。

装置が比較的簡単である（図 16）[25]。

EO には高い浸透性があり，包装・シールしてもそのまま滅菌できる。

2）欠　点

滅菌時間が長く，エアレーションの時間も含めるとさらに長くなる。

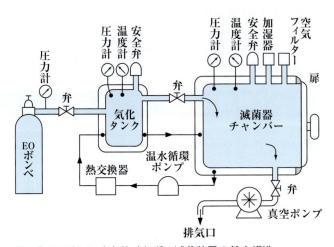

図 16　エチレンオキサイドガス滅菌装置の基本構造
（American society for healthcare central service professionals : Recommended practices for central service, continuous quality improvement. Chicago : American Hospital Association, 1993 : 7-10. より改変し転載）

カメラのレンズに使用されている接着剤が低温でも変性して，レンズの固定性を低下させることがあるので注意が必要である。

EO は微量でも曝露すると発癌性があり，特定化学物質障害予防規則（特化則）の特定第二類物質の対象となっている。また，残留毒性の問題もあり，作業者に対する危険性から，ガスに直接曝露しないように十分注意しなければならない。塩化ビニールには長期間残留しやすい。

4 注意点

EO は常温でもエーテル臭を呈する無色の気体で，液体でも気体でも可燃性であり，空気と混合（0.4％以上の範囲）すると爆発性がある。フレオン-12 またはフレオン-11 などと混合して使用されていたが，フレオンは紫外線により分解されて塩素原子を放出するため，成層圏のオゾンを破壊して地表への紫外線の到達量を増加させることがわかった。近年では，フレオン混合から炭酸ガス混合のものに変更された。

皮膚や粘膜に対して刺激性がある。吸入すると頭痛，めまい，嘔気，失神，呼吸困難などの症状を呈するほか，発癌性，催奇性についても厳重な注意が必要である。

EO の特化則における管理濃度は，1 ppm である。米国労働安全衛生局（Occupational Safety and Health Administration；OSHA）では，作業環境での EO ガス濃度を規制しており，曝露の 8 時間加重平均値が 1 ppm 以下で，15 分間の値が 5 ppm を超さないこととしている[37, 38]。作業環境の換気条件などに十分な配慮が求められる。

ガスと被滅菌物との反応により成分変化，品質の劣化，有毒物質（エチレンクロルヒドリンなど）の生成の可能性があり，安全性については細心の注意を払わなくてはならない[39, 40]（表51）[41]。通常の滅菌工程管理においては，温度，湿度，ガス濃度（圧力）および時間を常時モニターすべきである。

表 51　エチレンオキサイドガス滅菌後の医療用器材の残留濃度の上限（米国 FDA）

（単位 ppm）

医療用器材	エチレンオキサイド	エチレンクロルヒドリン	エチレングリコール
体内に植え込む器具 　小（10 g 以下） 　中（10〜100 g） 　大（100 g 以上）	250 100 25	250 100 25	6,000 2,000 500
子宮内避妊器具	5	10	10
眼内レンズ	25	25	500
粘膜と接触する器具	250	250	5,000
血液と接触する器具 （体外使用のもの）	25	25	250
皮膚と接触する器具	250	250	5,000
手術時手洗い時ブラシ （スポンジ付き）	25	250	500

（Federal Register. 1978；43：27482. より改変し転載）

EOはあらゆる微生物を不活性化するが，細菌芽胞（とくに*B. atrophaeus*）はほかの微生物より抵抗性がある。このため，*B. atrophaeus*が生物学的インジケータとして推奨されている。

IV 過酸化水素低温ガスプラズマ滅菌

1 適応と滅菌工程

一般細菌，細菌芽胞，真菌，ウイルスを含むすべての微生物を殺滅できる。近年，CJDプリオン蛋白に対する不活性化効果も認められている[42]。

金属製品，プラスチック製品などが滅菌の対象となる。ただし高真空に耐えられないもの，対象物に水分や空気を多く含んでいるもの，プラズマが吸着してしまうセルロース類などには使用できない。すなわち，天然素材の布，糸類，木製品，発泡スチロール，液体，粉体などは不適応である。

過酸化水素は，各社指定の過酸化水素カセットやカートリッジを用いて供給される。いくつかの機種が販売されているが，その滅菌工程の1例を提示する。

①滅菌物の設置：滅菌する製品を十分に乾燥させた後，滅菌バッグに封入する。滅菌チャンバー内にセットするが，金属製品はチャンバー内壁に接触しないように置く。
②減圧真空工程：チャンバー内を0.3 mmHgまで真空減圧。
③過酸化水素の注入工程：58％，1.8 mL。
④過酸化水素の気化，拡散工程：ガス状の過酸化水素をまんべんなく拡散させる。
⑤過酸化水素プラズマ工程：高周波放電させて低温プラズマを発生させる。
⑥排気工程：HEPAフィルターを通した清浄空気をチャンバー内に送り込んで大気圧に戻す。

この場合，全工程約72分間，滅菌温度は約45℃にて経過する（図17）[43]。

新機種では，滅菌工程1回あたり過酸化水素分散相とプラズマ相の2つの工程を利用することにより，滅菌器の効率が改善されている。プログラムの変更によって改良が加えられ，全工程時間は大幅

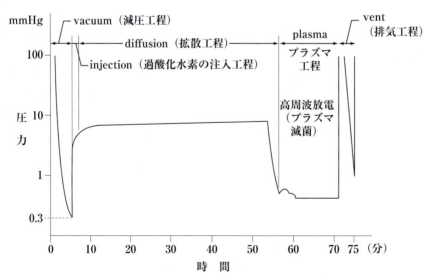

図17 過酸化水素ガスプラズマ滅菌の工程（100 Lタイプの場合）
（Association for the Advancement of Medical Instrumentation : Ethylene oxide sterilization in health care facilities : Safety and effectiveness. Arlington, VA : AAMI, 1999. より改変し転載）

に短縮された。過酸化水素水溶液から水分の大部分を除去する新規の気化システムが採用された装置もある。現在，滅菌全工程時間が30分を切っている機種も複数ある。

2 包装法

専用の滅菌バッグに封入する。一般にはポリエチレンまたはポリプロピレン製不織布が用いられている。従来からの木綿布，パルプが原料の不織布などは使用できない。

3 利点と欠点 [44, 45]

1）利　点
①非耐熱性，非耐湿性の製品の滅菌ができる。
②金属，プラスチック製品の材質への影響はほとんどない。
③滅菌後の残留物，二次生成物質は水と酸素であり，残留毒性がない。滅菌後のエアレーションは不要である。
④滅菌の処理時間が短く，かつ被滅菌物を滅菌後直ちに使用できる。
⑤給排水，蒸気，排気などの設備が不要で，電源があればどこでも稼働できる。

2）欠　点
①セルロース類は過酸化水素が吸着するため滅菌できない。
②過酸化水素ガスには浸透性がないため，長狭の管腔構造物を滅菌しにくい（専用のブースターを装着する方法がある）。
③粉体，液体は滅菌できない。
④内腔が密閉される機器は真空工程で破損する危険がある。

4 注意点

過酸化水素ガスは浸透性に問題がある。また，有機物によって不活性化するため，あらかじめ洗浄を十分に行って水分を確実に除去しておかなくてはならない。

高濃度の過酸化水素は毒性の高い強力な酸化剤であるため，その取り扱いには十分な注意が必要であるが，滅菌工程は減圧下で行われるのでガスが漏れる心配はない。

滅菌のインジケータとしてケミカルインジケータがあるが，これはあくまで過酸化水素が発生したことを確認するpHを基準としたものである。このシステムに使用される生物学的インジケータは*B. atrophaeus*芽胞である [46, 47]。

本滅菌法は，エチレンオキサイドガス滅菌に替わる低温滅菌法であるため，今後，医療用器材を開発するにあたってはプラズマ滅菌の適応となるような素材の研究開発も必要である。

V　過酸化水素ガス低温滅菌（過酸化水素蒸気滅菌）

過酸化水素溶液は，化学的滅菌剤として長年にわたり利用されてきた。しかし，初めて医療機器の滅菌用として過酸化水素ガス低温滅菌器（vaporized hydrogen peroxide；VHP®）が開発されたのは

1980年代中頃である。医療機関向けの医療機器販売において，2009年10月に国内販売が承認された。VHPを反応部位に送り込む方法は2つある。1つの方法は，高真空状態の利用であり，使い捨てカートリッジからの液体過酸化水素を，加熱した気化器を通して蒸発させ，その後滅菌チャンバー内に蒸気を送り込む方式である。もう1つの方法は，流入法と呼ばれているもので，陰圧または陽圧を利用し，空気などのキャリアガスにより滅菌チャンバー内にVHPを運ぶ方法である。この技術を応用したものには，医療機器の滅菌を目的とする真空システムと，広い空間や狭い空間の除染を目的とする大気システムがある[48]。VHPの特徴は，短い工程時間（30～45分など）や低い温度，環境に安全な副産物（水，酸素など），材質との良好な適合性，ならびに操作，据付およびモニタリングの簡便性などである。ただし，セルロース，パルプ製品，液体，粉体は滅菌できない。

蒸気相の過酸化水素が有意な殺芽胞作用をもたらすことが明らかにされているが[49]，予備試験では，過酸化水素蒸気による除染が，室内，家具，表面および器具に付着した *Staphylococcus aureus*，*Serratia marcescens*，*Clostridioides botulinum*，および *Clostridioides difficile* の芽胞に対してきわめて有効な方法であることが明らかにされた。

VI 低温蒸気ホルムアルデヒド滅菌（low temperature steam and formaldehyde sterilization）

1960年代に英国ブリストル大学のAlderが，陰圧下のチャンバー内で100℃以下の低温蒸気にホルムアルデヒドを添加することにより細菌芽胞に対して殺芽胞効果を示すことを発見して以来，欧州を中心に低温ホルムアルデヒド滅菌が行われてきた。わが国では2005年に薬事法上に「ホルムアルデヒド滅菌」という記載がなされたが，「低温蒸気ホルムアルデヒド滅菌」と「低温ホルムアルデヒドガス滅菌」は区別されていない。2011年に低温蒸気ホルムアルデヒド滅菌器が承認を取得して販売が開始された。

ホルムアルデヒドは，単体では浸透性が悪く，十分な殺芽胞効果は期待できないとされてきたが，殺芽胞性を実現するためには飽和水蒸気の存在が必要となることが明らかとなって本滅菌法が開発された。低温蒸気ホルムアルデヒド滅菌法は，チャンバー内の空気を十分に除去した後に，55～80℃の低温飽和水蒸気とホルムアルデヒドの混合気体としてチャンバー内を充満させて，蒸気の浸透性とホルムアルデヒドの殺菌力の相乗効果によるアルキル化により滅菌を達成する方式である。ホルムアルデヒドは，ホルムアルデヒドの水溶液であるホルマリン（重量でホルムアルデヒドを35～38％含有）のボトルをセットすることで供給される。

チャンバー内のホルムアルデヒドの残留を最小限とするために，蒸気パルス方式により水に溶解して除去するもので，十分に安全域までホルムアルデヒド濃度を低減させることに成功している。

滅菌サイクルは，予備加熱-プレコンディショニング-コンディショニング-滅菌剤への曝露-滅菌工程-離脱の順となっている。滅菌温度は，いくつかの設定のなかで選択することができる。

ホルムアルデヒドも特化則の特定第二類物質の対象となっているが，密封方式の低温蒸気ホルムアルデヒド滅菌器は適用を除外されている。

低温蒸気ホルムアルデヒド滅菌は栄養型細菌，抗酸菌，*B. atrophaeus* および *G. stearothermophilus* の芽胞ならびに *Candida albicans* に対して有効であることが明らかにされている[50-52]。

Ⅶ バイオロジカルインジケータの指標菌

滅菌条件の選定または滅菌効果の確認などを行う場合には，それぞれの滅菌法に適した指標菌を用いなければならない（表52）[11, 12, 24, 53]。

指標菌は生物学的インジケータであり，その滅菌法に対してもっとも抵抗性の強い菌である。

表52 バイオロジカルインジケータの指標菌

高圧蒸気滅菌	*Geobacillus stearothermophilus* ATCC 7953, NBRC 13737, JCM 9488, ATCC 12980, NBRC 12550, JCM 2501
エチレンオキサイドガス滅菌	*Bacillus atrophaeus* ATCC 9372
過酸化水素低温ガスプラズマ滅菌	*G. stearothermophilus* ATCC 7953
過酸化水素ガス低温滅菌	*G. stearothermophilus* ATCC 7953
低温蒸気ホルムアルデヒド滅菌（LTSF滅菌）	*G. stearothermophilus* ATCC 7953

■文　献

1) 第十七改正日本薬局方解説書．東京：廣川書店，2016．
2) 第十七改正日本薬局方（平成28年3月7日厚生労働省告示第64号）．
3) Favero MS：Sterility assurance：Concepts for patient safety. In：Rutala WA, ed. Disinfection, sterilization and antisepsis：principles and practices in healthcare facilities. Washington, DC：Association for Professional in Infection Control and Epidemiology, 2001：110-119.
4) Oxborrow GS, Berube R：Sterility testing-validation of sterilization processes, and sporicide testing. In：Block SS, ed. Disinfection, sterilization, and preservation. 4th ed. Philadelphia：Lea & Febiger, 1991：1047-1057.
5) Rowe D：Principles of sterilization. In：Rutala WA, ed. Disinfection sterilization and antisepsis in health care. Washington, DC：APIC and Polyscience Publications, 1997：59-66.
6) Graham GS, Boris CA：Chemical and biological indicators. In：Morrissey RF, Phillips GB, eds. Sterilization technology：a practical guide for manufactures and users of healthcare products. Van Nostrand Reinhold, 1993.
7) Schneider PM：Low temperature sterilization alternatives in the 1990's. TAPPI Polymers, lamination & coatings conference. Tappi J 1993：479-484.
8) Mallison GF, Standard PG：Safe storage times for sterile packs. Hospitals 1974；48：77-78, 80.
9) Nagai I, Kanda M, Takechi M, et al：Studies on the bacterial permeability of non-woven fabrics and cotton fabrics. J Hosp Infect 1986；7：261-268.
10) AORN：Proposed recommended practices selection and use of packaging materials. AORN J 1987；46：920-923.
11) AORN：Standards, recommended practices, guidelines. Denver：Association of Operating Room Nurses, 1997.
12) Favero M, Bond W：Sterilization, disinfection, and antisepsis in the hospital. Washington, DC：American Society of Microbiology, 1991：183-200.
13) Pittet D, Ducel G：Infectious risk factors related operating rooms. Infect Control Hosp Epidemiol 1994；15：456-462.

14) CDC : Postsurgical infection associated with nonsterile implantable devices. MMWR 1992 ; 41 : 263.
15) Soto LE, Bobadilla M, Villalobus Y, et al : Postsurgical nasal cellulitis outbreak due to Mycobacterium chelonae. J Hosp Infect 1991 ; 19 : 99-106.
16) Garner JS : Guideline for prevention of surgical wound infections, 1985. Infect Control 1986 ; 7 : 193-200.
17) Altemeier WA, Burke JF, Pruitt BA, et al : Manual on control of infection in surgical patients. 2nd ed. Philadelphia : J. B. Lippincott, 1984.
18) Laufman H : The operating room. In : Bennett JV, Branchman PS, eds. Hospital infections. 2nd ed. Boston/Toronto : Little, Brown, 1986 : 315-323.
19) Gurevich I, Jacobsen E, Cunha BA : Pseudoautoclave failure caused by differences in spore test steam sensitivities. Am J Infect Control 1996 ; 24 : 402-404.
20) Bryce EA, Roberts FJ, Clements B, et al : When the biological indicator is positive : investigating autoclave failures. Infect Control Hosp Epidemiol 1997 ; 18 : 654-656.
21) Rutala WA : Disinfection and flash sterilization in the operating room. J Ophthal Nurs Technol 1991 ; 10 : 106-115.
22) Association for the Advancement of Medical Instrumentation : Flash sterilization : Steam sterilization of patient care items for immediate use. Arlington, VA : AAMI, 1996.
23) Association for the Advancement of Medical Instrumentation : Comprehensive guide to steam sterilization and sterility assurance in health care facilities. ANSI/AAMI ST79, 2006.
24) Favero M, Manian F : Is eliminating flash sterilization practical? Infect Control Hosp Epidemiol 1993 ; 14 : 479-480.
25) American society for healthcare central service professionals : Recommended practices for central service, continuous quality improvement. Chicago : American Hospital Association, 1993 : 7-10.
26) Lind N : Flash sterilization techniques. Infection Control & Sterilization Technology, 1997 : 43.
27) Vesley D, Langholz AC, Rohlfing SR, et al : Fluorimetric detection of a Bacillus stearothermophilus spore-bound enzyme, α-D-glucosidase, for rapid identification of flash sterilization failure. Appl Environ Microbiol 1992 ; 58 : 717-719.
28) Rutala WA, Gergen MF, Weber DJ : Evaluation of a rapid readout biological indicator for flash sterilization with three biological indicators and three chemical indicators. Infect Control Hosp Epidemiol 1993 ; 14 : 390-394.
29) Mangram AJ, Horan TC, Pearson ML, et al : Guideline for prevention of surgical site infection, 1999. Hospital Infection Control Practices Advisory Committee. Infect Control Hosp Epidemiol 1999 ; 20 : 250-278.
30) Education Design : Best practices for the prevention of surgical site infection. Denver Colorado : Education Design, 1998.
31) Barrett T : Flash sterilization : What are the risks? In : Rutala WA, ed. Disinfection, sterilization and antisepsis : principles and practices in healthcare facilities. Washington, DC : Association for Professional in Infection Control and Epidemiology, 2001 : 70-76.
32) Strzelecki LR, Nelson JH : Evaluation of closed container flash sterilization system. Orthoped Nurs 1989 ; 8 : 21-24.
33) Parisi AN, Young WE : Sterilization with ethylene oxide and other gases. In : Block SS, ed. Disinfection, sterilization, and preservation. 4th ed. Philadelphia : Lea & Febiger, 1991 : 580-595.
34) Wheeler GP : Studies related to the mechanisms of action of cytotoxic alkylating agents. Cancer Res 1962 ; 22 : 651-688.
35) 新太喜治：酸化エチレンガス滅菌．小林寛伊編，感染制御学．東京：へるす出版，1996：88-92.
36) AAMI Subcommittee on Ethylene Oxide Sterilization : Ethylene oxide sterilization : a guide for hospital personnel. Arlington : AAMI, 1976.
37) OSHA : Occupational exposure to ethylene oxide. Federal Resister 1984 ; 49 : 25734-25809.
38) 小林寛伊：感染防止のストラテジーとしての滅菌と消毒．新しい滅菌法・消毒法．日手術医会誌 1995 ;

16（臨時号）：10-11.
39) 小林寛伊：酸化エチレンガス滅菌．手術部医学マニュアル．東京：文光堂，1989：65-70.
40) 細渕和成：酸化エチレンガス滅菌に替わる滅菌法，新しい滅菌法・消毒法．日手術医会誌 1995；16（臨時号）：22-56.
41) Federal Register. 1978；43：27482.
42) Yan ZX, Heeg SP, Roth K, et al : Low-tenperature inactivation of prian protein on surgical steel surfaces with hydrogen peroxide gas plasma sterilization. Zentr Steril 2008；16：26-34.
43) Association for the Advancement of Medical Instrumentation : Ethylene oxide sterilization in health care facilities : Safety and effectiveness. Arlington, VA : AAMI, 1999.
44) 細渕和成：プラズマ滅菌．小林寛伊編，感染制御学．東京：へるす出版，1996：108-113.
45) AORN : Proposed recommended practices for sterilization in the practice setting. Association of Operating Room Nurses. AORN J 1994；60：109-119.
46) Schneider PM : Low-temperature sterilization alternatives in the 1990s. Tappi J 1994；77：115-119.
47) Crow S, Smith JH 3rd. : Gas plasma sterilization --application of space-age technology. Infect Control Hosp Epidemiol 1995；16：483-487.
48) Schneider PM : Emerging low temperature sterilization technologies（non-FDA approved）. In : Rutala WA, ed. Disinfection, sterilization, and antisepsis in healthcare. Champlain, New York : Polyscience Publications, 1998：79-92.
49) Klapes NA, Vesley D : Vapor-phase hydrogen peroxide as a surface decontaminant and sterilant. Appl Environ Microbiol 1990；56：503-506.
50) Gaspar MC, Peláez B, Fernández Pérez C, et al : Microbiological efficacy of Sterrad 100S and LTSF sterilisation systems compared to ethylene oxide. Zentr Steril 2002；10：91-99.
51) Kanemitsu K, Kunishima H, Imasaka T, et al : Evaluation of a low-temperature steam and formaldehyde sterilizer. J Hosp Infect 2003；55：47-52.
52) Kanemitsu K, Imasaka T, Ishikawa S, et al : A comparative study of ethylene oxide gas, hydrogen peroxide gas plasma, and low-temperature steam formaldehyde sterilization. Infect Control Hosp Epidemiol 2005；26：486-489.
53) 新谷英晴：ISO11138-1,2,3 医学用品の滅菌－生物指標．古橋正吉監修，ISO 規格翻訳版，医療用品の滅菌方法／滅菌バリデーション／滅菌保証．東京：日本規格協会，1996：273-308.

Appendix

消毒薬一覧

Appendix●消毒薬一覧

◎ご使用にあたっては，最新の添付文書をご参照ください。

I　高水準消毒薬

一般名	商品名	使用濃度	消毒対象	備　考
過酢酸 （エタンペルオキソ酸）	アセサイド6％消毒液 エスサイド消毒液6％	0.3％	内視鏡	①液の付着に注意する（化学損傷を生じる） ②蒸気の吸入や曝露に注意する（粘膜を刺激する） ・換気 ・専用マスクの着用 ・内視鏡自動洗浄消毒機での使用が望ましい ・清拭法や噴霧法で用いない ③適用後の内視鏡などに対しては，十分な水洗いが必要 ④10分間を超える浸漬を行わない（材質の劣化防止）
グルタラール （グルタルアルデヒド）	ステリハイドL液（2W/V％，20W/V％） ステリスコープ3W/V％液 クリンハイド消毒液（2W/V％，3W/V％，20W/V％） ステリゾール液（2％，20％） ステリゾールS液3％ グルタルアルデヒド兼一（2％，20％） ステリキット（2％，20％） デントハイド	2〜3％*	内視鏡	①液の付着に注意する（化学損傷を生じる） ②蒸気の吸入や曝露に注意する（粘膜を刺激する） ・換気 ・専用マスクの着用 ・蓋付きの浸漬容器で用いる ・清拭法や噴霧法で用いない ③適用後の内視鏡などに対しては，十分な水洗いが必要
フタラール （オルトフタルアルデヒド）	ディスオーパ消毒液0.55％ フタラール消毒液0.55％「ケンエー」，＜ハチ＞，「メタル」，「シオエ」	0.55％	内視鏡	①軟性膀胱鏡に用いない ②液の付着に注意する（化学損傷を生じる） ③蒸気の吸入や曝露に注意する（粘膜を刺激する） ・換気 ・専用マスクの着用 ・内視鏡自動洗浄消毒機での使用が望ましい ・清拭法や噴霧法で用いない ④適用後の内視鏡などに対しては，十分な水洗いが必要

＊濃度表示はアルコール系はvol（v/v）％，その他ではw/v％

Ⅱ　中水準消毒薬

分類	一般名	商品名	使用濃度	消毒対象	備考
塩素系	次亜塩素酸ナトリウム	ミルトン ミルクポン ピュリファンP ヤクラックスD液1% ヤクラックス消毒液6% テキサントP テキサント消毒液6% ジアノック サンラック，C 次亜塩「ヨシダ」（1%，6%） ピューラックス ハイポライト消毒液10% ジアエン液2% ＜希釈・滅菌済み製品＞ 次亜塩「ヨシダ」（0.05%, 0.1%, 0.5%） ヤクラックス消毒液0.1%	0.01〜0.0125%（100〜125 ppm）	ほ乳瓶 投薬容器 経管栄養の投与セット 蛇管，薬液カップ	1時間浸漬
			0.02%（200 ppm）	食器	5分以上の浸漬
				まな板	清拭
				リネン	「すすぎ工程」後に5分間以上の浸漬，その後に水洗い
			0.05%〜0.5%（500〜5,000 ppm）	ウイルス汚染のリネン・機器	30分以上の浸漬
				ウイルス汚染の環境	汚れを除去後に清拭。ただし，傷みやすい材質への適用では，その後のアルコール拭きや水拭きが必要となる
	ジクロルイソシアヌール酸ナトリウム	ミルトンCP ジクロシア 0.5g/2.5g錠	次亜塩素酸ナトリウムの項を参照		
		ジクロシア顆粒		床上などのウイルス汚染血液	ふりかけて5分以上放置後に処理する
ヨウ素系	ポビドンヨード	イソジン液10% ポビドンヨード消毒液10%「ケンエー」，「NP」，「シオエ」，「カネイチ」 ポビドンヨード外用液10%「日新」，「明治」，「オオサキ」，「イワキ」 ポピヨドン液10% ポピラール消毒液10 ポビドンヨード液10%「メタル」	原液（10%）	手術部位の皮膚・粘膜 創傷部位 熱傷皮膚面 感染皮膚面	①腹腔や胸腔へ用いない（ショックの可能性） ②体表面積20%以上の熱傷患者や，腎障害のある熱傷患者には用いない（大量吸収による副作用） ③低出生体重児や新生児への広範囲使用を避ける（大量吸収による副作用） ④手術野消毒では，患者と手術台の間に溜まるほど大量に用いない（湿潤状態での長時間接触で化学損傷）

Appendix ● 消毒薬一覧

分類	一般名	商品名	使用濃度	消毒対象	備考
ヨウ素系	ポビドンヨード	＜含浸アプリケータ・綿球・綿棒＞ ポビドンヨード液10％消毒用アプリケータ「オーツカ」 ポビドンヨード液10％綿球（14，20，30，40）「ケンエー」 ポピコット綿球P ウエットブレット ポビ綿球（10％） ポビドンヨード液10％綿棒（12，16，27）「ケンエー」 ポピヨドン10％綿棒（12，6） ポピヨドンフィールド10％綿棒 ハクゾウポビドンヨード綿棒 プッシュ綿棒P（10％） ポビドンヨード液10％綿棒20「LT」 スワブスティックポビドンヨード（10％） オオサキ薬液綿棒ポビドン10％	原液（10％）	手術部位の皮膚・粘膜 創傷部位 熱傷皮膚面 感染皮膚面	①腹腔や胸腔へ用いない（ショックの可能性） ②体表面積20％以上の熱傷患者や，腎障害のある熱傷患者には用いない（大量吸収による副作用） ③低出生体重児や新生児への広範囲使用を避ける（大量吸収による副作用） ④手術野消毒では，患者と手術台の間に溜まるほど大量に用いない（湿潤状態での長時間接触で化学損傷）
		イソジンスクラブ液7.5％ ポピヨドンスクラブ7.5％ ポビドンヨードスクラブ液7.5％「ケンエー」，「明治」，「イワキ」	原液（7.5％） ＜洗浄剤含有＞	手指，皮膚 手術部位の皮膚	①頻回使用を避ける（手荒れの防止） ②粘膜や創部へ用いない（洗浄剤が毒性を示す） ③首から上の手術野消毒に用いない（誤って眼や耳に入った場合，洗浄剤が毒性を示す） ④手術野消毒では，患者と手術台の間に溜まるほど大量に用いない（湿潤状態での長時間接触で化学損傷）

分類	一般名	商品名	使用濃度	消毒対象	備考
ヨウ素系	ポビドンヨード	イソジンフィールド液 10%（63％エタノール含有） ポピヨドンフィールド 10%（50％エタノール含有） ポビドンヨードフィールド外用液 10%「明治」（63％エタノール含有） プッシュ綿棒 PF（50％エタノール含有）	原液（10%）<エタノール含有>	手術部位の皮膚	①粘膜や創部へ用いない（エタノールが毒性を示す） ②首から上の手術野消毒に用いない（誤って眼や耳に入った場合，エタノールが毒性を示す） ③手術野消毒では，患者と手術台の間に溜まるほど大量に用いない（化学損傷や引火の危険性）
		イソジンガーグル液 7% ポビドンヨードガーグル液 7%「ケンエー」，「明治」，「シオエ」，「イワキ」 ポビドンヨードガーグル 7%「メタル」 ポピヨドンガーグル 7% ポリヨードンガーグル	15～30倍に希釈(含嗽)	口腔内 咽頭炎, 扁桃腺, 口内炎, 抜歯創を含む口腔創傷の感染予防	甲状腺疾患のある患者や炭酸リチウムを投与している患者には，14日を超えるなどの長期間にわたる含嗽を避ける（吸収による副作用）
		産婦人科用イソジンクリーム 5%		外陰部, 外陰部周囲, 腟	
		イソジンゲル 10% ポピヨドンゲル 10% ポビドンヨードゲル 10%「ケンエー」，「VTRS」，「イワキ」 イソジンシュガーパスタ軟膏 ネオヨジンシュガーパスタ軟膏		皮膚・粘膜の創傷部位 熱傷皮膚面	
	ポロクサマヨード	プレポダインソリューション 1%	原液	手術部位の皮膚・粘膜 創傷部位 熱傷皮膚面	ポビドンヨードのイソジンの項を参照
		プレポダインスクラブ 0.75%	原液<洗浄剤を含有>	手指, 皮膚 手術部位の皮膚	ポビドンヨードのイソジンスクラブの項を参照

Appendix ● 消毒薬一覧

分類	一般名	商品名	使用濃度	消毒対象	備考
ヨウ素系	ポロクサマヨード	プレポダインフィールド1%	原液＜64％のイソプロパノール含有＞	手術部位の皮膚	ポビドンヨードのイソジンフィールドの項を参照
	ヨウ素・ポリビニルアルコール	PA・ヨード点眼・洗眼液	生理食塩液で4～8倍に希釈	角膜ヘルペスC型肝炎ウイルスやHIV汚染血液などの眼飛入での洗眼殺菌	希釈して用いる
	ヨードチンキ	ヨードチンキ（各社）三丸ヨーチン	5～10倍に希釈	採血部位の皮膚	適用30秒間後にアルコールで拭き取る（皮膚刺激の防止）
	希ヨードチンキ	希ヨードチンキ（各社）三丸希ヨーチン 山善稀ヨーチン	原液または2～5倍に希釈		
アルコール系	消毒用エタノール	消毒用エタノール（各社）	原液	手指 皮膚 手術部位の皮膚 医療機器	①粘膜や損傷皮膚には禁忌 ②創や手荒れがある手指には用いない（刺激性がある） ③引火性に注意！
		＜含浸綿＞（各社）			
	3.7％イソプロパノール添加の消毒用エタノール	消毒用エタノール液IP 消毒用エタプロコール 消エタサラコール 消毒用エタIP「メタル」 消毒用エタノールα「カネイチ」 消毒用エタライト液消エタ・バリュー 消毒用エタノールIPA液「東豊」 シオ・エタIP消毒液 ハクゾウ消毒用エタノールEI			
		＜含浸綿＞ エレファワイパーEⅠ			
	4.9％イソプロパノールと0.9％グリセリン添加の消毒用エタノール ＜速乾性擦式アルコール製剤＞	消毒用エタプラスエタプロコールG		手指 皮膚	①創や手荒れがある手指には用いない（刺激性がある） ②汚れがある手指には用いない（流水と石けんを用いる） ③引火性に注意！

消毒薬一覧

分類	一般名	商品名	使用濃度	消毒対象	備考
アルコール系	ユーカリ油添加の消毒用エタノール	エコ消エタ消毒液 オー消エタ消毒液 ＜含浸綿＞ ワンショットプラス EL-Ⅱ ショットメン	原液	手指 皮膚 手術部位の皮膚 医療機器	①粘膜や損傷皮膚には禁忌 ②創や手荒れがある手指には用いない（刺激性がある） ③引火性に注意！
	70％イソプロパノール	イソプロパノール消毒液70％「ケンエー」,「シオエ」,「東豊」,「ヤクハン」,「ニプロ」,「メタル」,「カネイチ」,「ヨシダ」,「タイセイ」, ＜ハチ＞ 70％イソプロピルアルコール イソプロパノール消毒B液70％ 70％イソプロ消アル「ヤマゼン」 70％消毒用イソプロパノール「ニッコー」 ＜含浸綿＞ ワンショットプラス エレファワイパーイソ エレファコットンイソツインパック ＜含浸布＞ ポケットコール		手指 皮膚 医療機器	
	50％イソプロパノール	イソプロパノール消毒液50％「ケンエー」,「シオエ」,「東豊」,「ニプロ」,「メタル」,「カネイチ」,「ヨシダ」,「タイセイ」, ＜ハチ＞ 消毒用イソプロパノール液50％「ヤクハン」 50％イソプロピルアルコール 50vol％消毒用イソプロ「コザカイ」 50％イソプロ消アル「ヤマゼン」			
	エタノール・イソプロパノール配合製剤	消毒用ネオアルコール「ケンエー」 ネオ消アル「ヨシダ」 山善消アル			

Appendix ● 消毒薬一覧

分類	一般名	商品名	使用濃度	消毒対象	備考
アルコール系	pH調整や有機酸添加のエタノール	ウエルセプト高頻度接触面消毒用 サラサイド ザルクリーン	原液	環境 医療機器	引火性に注意！
	1%クロルヘキシジン含有の消毒用エタノール	クロルヘキシジングルコン酸塩エタノール消毒液1%「サラヤ」,「東豊」 ステリクロンWエタノール液1% ステリクロンBエタノール液1% ヘキザックAL液1% ヘキザックAL液1%青 ＜含浸綿棒＞ ヘキザックAL1%綿棒（12，16） ヘキザックAL1% OR綿棒（12，16） ヘキザックAL1% OR液16mm綿棒セット クロルヘキシジングルコン酸塩エタノール液1%（R14mm，16mm，12mm）綿棒セット「ハクゾウ」 ＜含浸布＞ ヘキザックAL1%消毒布4×8 クロルヘキシジングルコン酸塩エタノール液1%消毒布4×4		カテーテル刺入部位の皮膚	①引火性に注意！ ②湿潤状態で長時間接触させない（化学損傷の危険性）
	1%クロルヘキシジン含有の消毒用エタノール ＜速乾性擦式アルコール製剤＞	グルコジン消毒用ハンドローション1% ウエルアップハンドローション1% ヒビスコール液A 1%		術前手指 手指	①創や手荒れがある手指には用いない（刺激性がある） ②汚れのある手指では，流水下での手洗いおよびペーパータオルでの乾燥後に用いる ③引火性に注意！

分類	一般名	商品名	使用濃度	消毒対象	備考
アルコール系	0.5%クロルヘキシジン含有の消毒用エタノール（通称：ヒビテンアルコール）	クロルヘキシジングルコン酸塩消毒用液 EW 0.5%「NP」 クロルヘキシジングルコン酸塩エタノール消毒液 0.5% R「カネイチ」 グルコジン（R, W）・エタノール液 0.5% ステリクロン（B・R・W）エタノール液 0.5 0.5%ヘキザックアルコール液 マスキン（R, W）エタノール液（0.5w/v%） 0.5%ラポテックアルコール（W）液 クロバイン A イワコールエタノール消毒液 0.5% ヘヴィック消毒薬 0.5% ＜含浸綿球・綿棒＞ ステリクロン 0.5% AL 綿球（14, 20） ヘキザック AL0.5%綿棒 12	原液	手術部位の皮膚 カテーテル刺入部位の皮膚 医療機器	①粘膜や損傷皮膚には禁忌 ②首から上の手術野消毒に用いない（誤って眼や耳へ入った場合，0.5%クロルヘキシジンおよび消毒液エタノールが毒性を示す） ③引火性に注意する（手術野消毒で患者と手術台の間に溜まるほど大量に用いない） ④湿潤状態で長時間接触させない（化学損傷の危険性）
	0.5%クロルヘキシジン含有の消毒用エタノール＜速乾性擦式アルコール製剤＞	ステリクロンハンドローション 0.5% ウエルアップハンドローション 0.5% ヒビスコール液 A0.5%		術前手指 手指	①創や手荒れがある手指には用いない（刺激性がある） ②汚れのある手指では，流水下での手洗いおよびペーパータオルでの乾燥後に用いる ③引火性に注意！
	消毒用エタノール＜速乾性擦式アルコール製剤＞	エタプラスゲル サニサーラ W サニサーラフォーム S サニサーラ Aqua Light ピュアラビング ピュレルアドバンスドフォーム / ジェル エタハンドゲル エタハンドローション ウエルリード		手指	①創や手荒れがある手指には用いない（刺激性がある） ②汚れのある手指には用いない（流水と石けんを用いる） ③引火性に注意！

Appendix ● 消毒薬一覧

分類	一般名	商品名	使用濃度	消毒対象	備　考
アルコール系	消毒用エタノール（pHを酸性化）＜速乾性擦式アルコール製剤＞	ウィル・ステラV ウィル・ステラVジェル ウエルセプト ラビショット ラビジェル ヴィルキル 手ピカローションP 手ピカジェルP エレファジェルS	原液	手指	①創や手荒れがある手指には用いない（刺激性がある） ②汚れのある手指には用いない（流水と石けんを用いる） ③引火性に注意！
	0.2％クロルヘキシジン含有の消毒用エタノール＜速乾性擦式アルコール製剤＞	ヒビソフト消毒液0.2％ ヒビスコール液A ヒビスコールS ヒビスコールSジェル1 ウエルアップ手指消毒液0.2％ ウエルフォーム 消毒用グルコジンハンドリキッド0.2％ ワードケアハンドローション0.2％ アセスクリン手指消毒液0.2％ イワコールラブ消毒液0.2％ ヘキザックローション			
	0.2％ベンザルコニウム塩化物含有の消毒用エタノール＜速乾性擦式アルコール製剤＞	ウエルパス手指消毒液0.2％ ウエッシュクリーン オスバンラビング カネパス ハンドコール ビオシラビング消毒液0.2w/v％ ベルコムローション ベンザルコニウム塩化物ラビング消毒用液0.2w/v％「VTRS」 ラビネット消毒液0.2％ リナパス消毒液0.2％ ピュアミスト トリゾンラブ消毒液0.2％ ザルコラブ ALクレミール ウエルパスフォーム			

Ⅲ　低水準消毒薬

分類	一般名	商品名	使用濃度	消毒対象	備　考
ビグアナイド系	クロルヘキシジングルコン酸塩	5％ヒビテン液 ヒビテン・グルコネート液20％ 5％グルクロ液 グルコン酸クロルヘキシジン液20％「ヤクハン」 クロルヘキシジングルコン酸塩消毒液5％「日医工」，「シオエ」，「カネイチ」 クロルヘキシジングルコン酸塩消毒用5％「NP」 5％グルコン酸クロルヘキシジン液「東海」 クロヘキシン液（5％，20％） グルコン酸クロルヘキシジン5％液「メタル」 グルコン酸クロルヘキシジン液（20w/v％） ステリクロン液（20，5） ヘキザック消毒液20％ 5％ヘキザック液 20W/V％マスキン液 マスキン液（5W/V％） ラポテック消毒液5％ ＜希釈済み製品＞ ステリクロンW液（0.02，0.05，0.1，0.5％） ステリクロンR液（0.05，0.1，0.5％） ヘキザック水W（0.02，0.05，0.1，0.5％） ヘキザック水R（0.05，0.5％） マスキン水（0.02，0.05，0.1，0.5w/v％） グルコジンW水（0.02，0.05，0.1，0.5％） グルコジンR水（0.05，0.5％）	0.02％	外陰・外性器の皮膚 結膜嚢	①適用濃度に注意する（例えば，創部消毒に誤って0.5％を用いると，ショックが生じる可能性がある） ②外陰・外性器の皮膚や結膜嚢への適用では，無色のクロルヘキシジングルコン酸塩（ヒビテングルコネートなど）を用いる ③結膜嚢へ適用後には，滅菌水で洗い流す
			0.05％	創傷部位	
			0.1～0.5％	手指 皮膚 医療機器	

Appendix ● 消毒薬一覧

分類	一般名	商品名	使用濃度	消毒対象	備考
ビグアナイド系	クロルヘキシジングルコン酸塩	<含浸綿球・綿棒> ステリクロン0.05%綿球P ヘキシジン綿球（0.05%） ステリクロン0.05%綿棒16 スワブスティックヘキシジン（0.05, 0.2%） ヘキザック水溶液1%綿棒12 プッシュ綿棒G 0.05 <含浸布> ヘキザック水溶液1%消毒布（20×30, 4×8） ワンショットプラスヘキシジン0.2 ハクゾウG綿（0.2, 0.1）	0.1〜0.5%	手指 皮膚 医療機器	①適用濃度に注意する（例えば，創部消毒に誤って0.5%を用いると，ショックが生じる可能性がある） ②外陰・外性器の皮膚や結膜嚢への適用では，無色のクロルヘキシジングルコン酸塩（ヒビテングルコネートなど）を用いる ③結膜嚢へ適用後には，滅菌水で洗い流す
		ヒビスクラブ消毒液4% マスキンスクラブ4% マイクロシールドスクラブ液4% スクラビインS4%液 フェルマスクラブ4% ヘキザックスクラブ クロルヘキシジングルコン酸塩スクラブ4%「日医工」 ステリクロンスクラブ液4% ステリクロンスクラブフォーム4%	原液（4%）	術前手指 手指	頻回の使用を避ける（手荒れの防止）
	オラネキシジングルコン酸塩	オラネジン消毒液1.5%（OR） オラネジン液1.5%（OR）消毒用アプリケータ10mL・25mL	原液	手術部位の皮膚	創傷部位や粘膜に用いない

分類	一般名	商品名	使用濃度	消毒対象	備考
第四級アンモニウム塩	ベルザルコニウム塩化物	オスバン消毒液10% オロナイン外用液10% 逆性石ケン液10「ヨシダ」 ベンザルコニウム塩化物液逆性石鹸消毒液10%「シオエ」 クレミール消毒液10% ザルコニン液10 ザルコニンG消毒液10 ヂアミトール消毒用液（10w/v%，50w/v%） トリゾン消毒液10%「YI」 ベンザルコニウム塩化物消毒用液10W/V%「VTRS」 ベンザルコニウム塩化物消毒液10%「カネイチ」，「メタル」，＜ハチ＞ ベンザルコニウム塩化物消毒用液10%「NP」 ベンザルコニウム塩化物液10w/v%「タイセイ」 ベンザルコニウム塩化物液10%「東豊」 ベンザルコニウム塩化物消毒液10w/v%「ニッコー」，「昭和」，「日医工」 塩化ベンザルコニウム液（10％）「ヤマゼン」，M・P 塩化ベンザルコニウム液「タカスギ」10% ベンザルコニウム塩化物消毒液50%「ヤクハン」 サラヤ塩化ベンザルコニウム10%液	0.01% 0.01〜0.025% 0.01〜0.05% 0.01〜0.05% 0.1% 0.1〜0.2%	感染皮膚面 手術部位の粘膜 創傷部位 結膜嚢 腟 手指 医療機器 環境	①適用濃度に注意する（0.1％液は眼に，1％液は粘膜に，5％液は皮膚に毒性を示す） ②誤飲に注意する（経口毒性が高い） ③結膜嚢へ適用後には，滅菌水で洗い流す

消毒薬一覧

Appendix ● 消毒薬一覧

分類	一般名	商品名	使用濃度	消毒対象	備　考
第四級アンモニウム塩	ベルザルコニウム塩化物	＜希釈済み製品＞ オスバン消毒液（0.025, 0.05, 0.1%） ザルコニン液（0.01, 0.02, 0.025, 0.05, 0.1, 0.2%） ヂアミトール水（0.025, 0.05, 0.1%） ヤクゾールE液0.1 プリビーシー液（0.02, 0.05, 0.1%） 逆性石ケン液「ヨシダ」（0.02, 0.025, 0.05, 0.1%） ベンザルコニウム塩化物消毒液（0.025, 0.05, 0.1W/V%）「日医工」 ＜綿球・綿棒＞ ザルコニン0.025%綿球（14, 20） ザルコニン0.025%綿棒（12, 16） スワブスティックベンザルコニウム（0.025%） ハクゾウベンザルコニウム塩化物液綿棒	0.01% 0.01〜0.025% 0.01〜0.05% 0.01〜0.05% 0.1% 0.1〜0.2%	感染皮膚面 手術部位の粘膜 創傷部位 結膜嚢 腟 手指 医療機器 環境	①適用濃度に注意する（0.1％液は眼に，1%液は粘膜に，5%液は皮膚に毒性を示す） ②誤飲に注意する（経口毒性が高い） ③結膜嚢へ適用後には，滅菌水で洗い流す
	0.05％ベンザルコニウム塩化物＜手指消毒液＞	ノンアルBCフォーム「ヨシダ」 ノアテクトプロ エレファフォーム		手指	
	0.2%ベンザルコニウム塩化物＜手指消毒液＞	ウエルパスフォームZERO 手ピカジェルノンアルコール		手指	
	8％エタノール含有の0.1%ベンザルコニウム塩化物	ザルコニンA液0.1 ヤクゾールE液0.1 0.1w/v%ヂアミトール水E	原液	気管内吸引チューブ	

分類	一般名	商品名	使用濃度	消毒対象	備　考
第四級アンモニウム塩	12％エタノール含有の0.1％ベンザルコニウム塩化物	逆性石ケンA液0.1「ヨシダ」	原液	気管内吸引チューブ	
	ベンゼトニウム塩化物	ハイアミン液10％＜希釈済み製品＞エンゼトニン液（0.025％）ベゼトン液（0.02, 0.025, 0.05, 0.1, 0.2％）	0.01％	感染皮膚面	①適用濃度に注意する（0.1％液は眼に，1％液は粘膜に，5％液は皮膚に毒性を示す）②誤飲に注意する（経口毒性が高い）③結膜嚢へ適用後には，滅菌水で洗い流す
			0.01〜0.025％	手術部位の粘膜創傷部位	
			0.02％	結膜嚢	
			0.025％	腟	
			0.1〜0.2％	医療機器環境	
		ネオステリングリーンうがい液0.2％ベンゼトニウム塩化物うがい液0.2％「KYS」	0.004％（洗口）0.01〜0.02％	口腔内抜歯創の感染予防	
両性界面活性剤	アルキルジアミノエチルグリシン塩酸塩	アルキルジアミノエチルグリシン消毒液10w/v％「VTRS」アルキルジアミノエチルグリシン消毒液10％「日医工」アルキルジアミノエチルグリシン塩酸塩消毒液10％「メタル」＜希釈済み製品＞サテニジン液（0.05, 0.1, 0.2％）	0.01〜0.05％	手術部位の粘膜創傷部位	適用濃度に注意する
			0.05〜0.2％	手指，皮膚	
			0.1〜0.2％	医療機器環境	

Ⅳ その他

分類	一般名	商品名	使用濃度	消毒対象	備考
酸化剤	オキシドール（過酸化水素）	オキシドール（各社）オキシドール消毒用液「マルイシ」	原液（3%）または2～3倍希釈	創傷，潰瘍	①発泡による異物除去効果 ②新たに表皮が形成された部位には用いない（治癒組織の潰瘍化が生じるため）
			2倍希釈	口腔粘膜	洗浄・消毒
			10倍希釈	口内炎の洗口	洗浄・消毒
			原液	ハードコンタクトレンズ 隅角鏡	①10分以上の浸漬（HIV，アデノウイルス，および単純ヘルペスウイルスの殺滅） ②消毒後の対象物に対しては，十分な水洗いが必要（強烈な眼刺激性を示すため）
				バーリーマ	30分以上の浸漬（HIVなどの殺滅）

索　引

〈数字〉

70%イソプロパノール　50

〈A〉

A 型肝炎　120

〈B〉

B 型肝炎ウイルス　102
B ウイルス病　123

〈C〉

C 型肝炎ウイルス　102
CDC ガイドライン　14
CDI　108
CJD　116
Clostridioides difficile　108
Clostridioides difficile infection　108
COVID-19　133
Creutzfeldt-Jakob disease　116
Cryptosporidium　118

〈E〉

E 型肝炎　119

〈H〉

H5N1　84
H7N9　84
hemolytic uremic syndrome　98
high-level disinfection　14
HIV　102
human immunodeficiency virus　102
HUS　98

〈I〉

intermediate disinfection　14

〈L〉

low-level disinfection　14

〈M〉

MDR-AB　114
MDRP　113
MERS　88
MERS コロナウイルス　88
methicillin-resistant *Staphylococcus aureus*　110
Middle East respiratory syndrome　88
MRSA　110
multi-drug resistant *Acinetobacter baumannii*　114
multi-drug resistant *Pseudomonas aeruginosa*　113

〈N〉

N95 微粒子用マスク　12

〈O〉

O111　98
O156　98
O157　98
O26　98

〈Q〉

Q 熱　125

〈S〉

SAL　11, 150
SARS　86
　——コロナウイルス　86
　—— -CoV-2　133
severe acute respiratory syndrome　86
sterility assurance level　11, 150
sterilization　14

〈V〉

vancomycin resistant enterococci　112
VRE　112

〈あ〉

アデノウイルス　106
アルキルジアミノエチルグリシン塩酸塩　53, 179
アルコール類　50
アルゼンチン出血熱　76
アルデヒド類　44
アレナウイルス　76

〈い〉

イソプロパノール　171
イソプロピルアルコール　50
一類感染症　4, 66, 68
医療用マスク　12

〈う〉

ウイルスの消毒　119
ウエストナイル熱　120

索引

〈え〉

衛生的手洗い　17
エキノコックス症　127
エタノール含有ポビドンヨード　48
エタンペルオキソ酸　42, 166
エチレンオキサイド　155
　　──ガス滅菌　155
エボラウイルス　68
　　──病　68
エボラ出血熱　68
エムポックス　121
塩素ガス　48
塩素系消毒薬　47

〈お〉

嘔吐物処理　12
黄熱　120
オウム病　124
オキシドール　43, 180
オムスク出血熱　120
オラネキシジングルコン酸塩　54, 176
オルトフタルアルデヒド　44, 166
オルトポックスウイルス　80

〈か〉

回帰熱　126
化学的消毒法　11
化学的滅菌法　150
化学滅菌剤　13
牡蠣　104
喀痰塗抹陽性肺結核　82
過酢酸　42, 166
過酸化水素　43, 180
過酸化水素ガス低温滅菌　159
過酸化水素蒸気滅菌　159

過酸化水素低温ガスプラズマ滅菌　158
芽胞形成菌性疾患　128
換気装置　25
感受性　10
感染経路　10, 12
感染症の予防及び感染症の患者に対する医療に関する法律　2
感染症法　2
　　──改正　2
　　──に基づく消毒・滅菌の手引き　8
　　──類型　3
感染制御　10
感染対策医療用マスク　12

〈き〉

逆性石けん　52
キャサヌル森林病　120
急性灰白髄炎　90
狂犬病　121
　　──予防法　7
希ヨードチンキ　170

〈く〉

グアナリトウイルス　76
クラミジア　124
　　──性疾患　124
クリティカル器具　14
クリプトスポリジウム　118
　　──症　118
クリミア・コンゴウイルス　72
クリミア・コンゴ出血熱　72
グルタラール　45, 166
グルタルアルデヒド　45, 166
クレゾール石けん　55
クロイツフェルト・ヤコブ病　116
　　──プリオン　116

クロストリディオイデス・ディフィシル　108
　　──感染症　108
クロルヘキシジングルコン酸塩　53, 175

〈け〉

結核　82
　　──菌　83
原因微生物　10
検疫法　7
原虫性疾患　126

〈こ〉

高圧蒸気滅菌　151
抗菌スペクトル　21
高水準消毒　14
　　──薬　12, 42, 166
コクシジオイデス症　127
個人防護具　12, 25
五類感染症　4, 131
コレラ　94
　　──菌　94

〈さ〉

サージカルマスク　12
細菌芽胞　21
細菌性赤痢　96
再興型インフルエンザ　4
再興型コロナウイルス感染症　4
擦式法　20
サビアウイルス　76
酸化剤　42
三類感染症　4, 67, 94

〈し〉

次亜塩素酸ナトリウム　47, 167
ジカウイルス感染症　121

ジクロルイソシアヌール酸ナ
　　トリウム　47, 167
糸状菌性疾患　127
指定感染症　4
指標菌　161
ジフテリア　92
　　──菌　92
重症急性呼吸器症候群　86
重症熱性血小板減少症候群
　　121
重力置換式　151
手指衛生　16
手術時手洗い　17
消毒薬抵抗性　21
消毒用エタノール　50, 170
新型インフルエンザ　4
　　──等感染症　4
新型コロナウイルス　133
　　──感染症　4, 133
新感染症　4
真菌性疾患　127
腎症候性出血熱　121

〈す〉
水酸化ラジカル　43
スクラブ法　18
スピロヘータ　126
　　──性疾患　126

〈せ〉
清潔度　17
清拭法　18
西部ウマ脳炎　121
生物学的インジケータ　161
生物テロ　80
赤痢菌　96
セミクリティカル器具　15
洗浄剤含有ポビドンヨード
　　48
蠕虫性疾患　127
腺ペスト　78

〈そ〉
速乾性擦式アルコール製剤
　　17, 18, 50

〈た〉
第四級アンモニウム塩　52
ダニ媒介脳炎　122
炭疽　128

〈ち〉
チクングニア熱　122
チフス菌　100
中水準消毒　14
　　──薬　12, 47, 167
中東呼吸器症候群　88
腸管出血性大腸菌　98
　　──感染症　98
腸チフス　100

〈つ〉
つつが虫病　125

〈て〉
低温蒸気ホルムアルデヒド滅
　　菌　160
低水準消毒　14
　　──薬　13, 52, 175
デング熱　122
伝染病予防法　2
天然痘　80

〈と〉
痘そう　80
　　──ウイルス　80
東部ウマ脳炎　122
動物由来感染症　7
鳥インフルエンザ　84, 122
　　──ウイルス　84

〈な〉
南米出血熱　76

〈に〉
日常的手洗い　17
ニパウイルス感染症　122
日本紅斑熱　125
日本脳炎　123
入院手続の整備　6
二類感染症　4, 67, 82

〈ね〉
熱水洗濯　25

〈の〉
ノロウイルス　104
ノンクリティカル器具　15

〈は〉
バイオロジカルインジケータ
　　161
敗血症ペスト　78
ハイスピード滅菌器　154
肺ペスト　78
パラチフス　100
　　── A 菌　100
ハロゲン系薬剤　47
バンコマイシン耐性腸球菌
　　112
ハンタウイルス肺症候群
　　123

〈ひ〉
鼻疽　129
ヒト免疫不全ウイルス　102
皮膚常在菌　16
皮膚通過菌　16

〈ふ〉
フェノール　55

――類　55
フタラール　44, 166
物理的消毒法　11
物理的滅菌法　150
フニンウイルス　76
ブラジル出血熱　76
プリオン　116
プリバキューム式　151
ブルセラ症　129

〈へ〉

ペスト　78
　　――菌　78
　　腺――　78
　　肺――　78
　　敗血症――　78
ベネズエラウマ脳炎　123
ベネズエラ出血熱　76
ベルザルコニウム塩化物　52, 177
ベンゼトニウム塩化物　52, 179
ヘンドラウイルス感染症　123

〈ほ〉

発しんチフス　125
ボツリヌス症　128
ポビドンヨード　48, 167
ポリオ　90

――ウイルス　91
――ワクチン　90
ボリビア出血熱　76
ポロクサマヨード　169

〈ま〉

マールブルグウイルス　70
マールブルグ病　70
マチュポウイルス　76
マラリア　127
まん延防止措置　7

〈む〉

無菌性保証水準　11, 150

〈め〉

メチシリン耐性黄色ブドウ球菌　110
滅菌　14
　　――法　150
　　――法の分類　11

〈や〉

薬剤耐性アシネトバクター　114
薬剤耐性緑膿菌　113
野兎病　129

〈よ〉

陽イオン界面活性剤　52

溶血性尿毒症症候群　98
ヨウ素系消毒薬　48
ヨウ素・ポリビニルアルコール　170
ヨードチンキ　170
四類感染症　4, 119

〈ら〉

ライム病　126
ラッサウイルス　74
ラッサ熱　74

〈り〉

リケッチア　124
　　――性疾患　124
リッサウイルス感染症　124
リフトバレー熱　124
流行性角結膜炎　106
両性界面活性剤　53

〈る〉

累積効果　17
類鼻疽　130

〈れ〉

レジオネラ症　130
レプトスピラ症　126

〈ろ〉

ロッキー山紅斑熱　125

```
┌─────────────────────────────────────────────────────────┐
│ JCOPY 〈(社)出版者著作権管理機構 委託出版物〉              │
│ 本書の無断複写は著作権法上での例外を除き禁じられています．│
│ 複写される場合は，そのつど事前に，下記の許諾を得てください．│
│ (社)出版者著作権管理機構                                  │
│ TEL. 03-5244-5088  FAX. 03-5244-5089  e-mail：info@jcopy.or.jp │
└─────────────────────────────────────────────────────────┘
```

2025 年版
消毒と滅菌のガイドライン

定価(本体価格 4,000 円 + 税)

1999 年 4 月 1 日	第 1 版第 1 刷発行
2002 年 8 月 20 日	第 1 版第 5 刷(増補版)発行
2004 年 2 月 16 日	第 2 版第 1 刷発行
2005 年 3 月 23 日	第 2 版第 2 刷発行
2011 年 2 月 18 日	第 3 版第 1 刷(新版)発行
2015 年 5 月 15 日	第 3 版第 4 刷(新版増補版)発行
2016 年 5 月 25 日	第 3 版第 5 刷発行
2020 年 2 月 14 日	第 4 版第 1 刷発行
2020 年 10 月 30 日	第 4 版第 3 刷発行
2025 年 2 月 25 日	第 5 版第 1 刷発行

編　集　大久保　憲，尾家　重治，金光　敬二
発行者　長谷川　潤
発行所　株式会社へるす出版
　　　　〒164-0001　東京都中野区中野 2-2-3
　　　　TEL　03-3384-8035(販売)　03-3384-8155(編集)
　　　　振替 00180-7-175971
　　　　http://www.herusu-shuppan.co.jp
印刷所　株式会社双文社印刷

〈検印省略〉

©2025, Printed in Japan
落丁本，乱丁本はお取り替えいたします．
ISBN 978-4-86719-112-5